Heilen mit Lapacho Tee

Walter Lübeck

Heilen mit Lapacho Tee

Die Heilkraft des göttlichen Baumes

WINDPFERD

Die in meinem Buch vorgestellten Informationen und Übungen sind sorgfältig recherchiert und wurden nach bestem Wissen und Gewissen weitergegeben. Dennoch übernehmen Autor und Verlag keinerlei Haftung für Schäden irgendeiner Art, die direkt oder indirekt aus der Anwendung oder Verwendung der Angaben in diesem Buch entstehen. Die Informationen in diesem Buch sind für Interessierte und zur Weiterbildung gedacht und nicht als Therapie- oder Diagnoseanweisung im medizinischen Sinne zu verstehen.

7. Auflage 1999
© 1997 by Windpferd Verlagsgesellschaft mbH, Aitrang
Alle Rechte vorbehalten
Umschlaggestaltung: Kuhn Grafik, Digitales Design, Zürich
Lektorat und Layout: Aladins Bookdesign, Aitrang
Foto Seite 20: Okapia
Gesamtherstellung: Schneelöwe, Aitrang

ISBN 3-89385-222-0

Printed in Germany

Danksagung

Vielen Dank für wichtige Hilfen bei
der Recherche an:
die Hirsch Apotheke in Aerzen;
Frau Hannes
von der Hannes GmbH & Co.
in München
und Marcel „Webscout" Magis,
Hannover.

Inhaltsverzeichnis

Danksagung 5
Ein Wort zuvor 11
Einleitung – Wie der Lapacho-Tee mich fand 13

Kapitel 1
Das ist Lapacho-Tee 17
Vorkommen und individuelle Merkmale 17
Exkurs: Wird der südamerikanische Regenwald
durch die Nutzung des Lapacho gefährdet? 18
Lapacho – ein begehrtes Nutzholz 19
Die vielen Namen des göttlichen Baumes 22

Kapitel 2
Die Heilkräfte des Lapacho-Baumes werden entdeckt 25
Ein Wissenschaftler lernt von den
„Lords der Medizintasche" 28
Ein brasilianischer Professor entdeckt zwei
„große Wahrheiten" 29

Kapitel 3
Deshalb ist Lapacho so wirksam 33
Verbesserung der Sauerstoffversorgung 33
Natürliche antibiotische und tumorheilende Inhaltsstoffe 34
Saponine gegen schädliche Pilze und Krebs 36
Lapacho und Diabetes 36
Xylodion – Der Stoff, der Candida-Pilze aus dem
Körper jagt 39
Lapachol – Der bislang am weitesten erforschte
Wirkungsträger 39
Weitere Wirkstoffe 41

Kapitel 4
Hat Lapacho-Tee Nebenwirkungen? 43
Zusammenfassung 46

Kapitel 5
Lapacho-Tee genießen: die richtige Zubereitung 47
Lapacho-Tee Grundrezept 48

Die Kräuterweihe – geheimnisvolles Ritual
bei den Naturvölkern 49
Eine schamanische Kräuterweihe zur Steigerung
der Heilkräfte von Lapacho 50
Eine Auswahl der besten Lapacho-Rezepte 52

Kapitel 6
Erfahrungsberichte und Lapacho-Geschichten 55
Diabetes 55
Heuschnupfen 55
Krampfadern 55
Krebstumor auf der Kopfhaut 56
Leukämie 56
«Das krebskranke Mädchen, der Mönch und Lapacho» 57
Übergewicht 57
Unterleibskrebs 59
Verstopfung 59

Kapitel 7
Mehr Wohlbefinden mit Lapacho-Tee von A – Z 61
Grundsätzliches zur erfolgreichen Anwendung 81

Kapitel 8
Anwendungen mit Lapacho 83
Lapacho-Tee 83
Lapacho-Kapseln 83
Lapacho-Tinktur 84
Lapacho-Kompressen 85
Das Lapacho-Bad 85
Lapacho in der homöopathischen Zubereitung 87
Lapacho für Haustiere 88
Lapacho für Pflanzen – ein Forschungsprojekt 89
Lapacho – für jeden Tag 89
Ernährungstips für die Lapacho-Kur 90

Kapitel 9
Was sind Heilreaktionen? 93

Kapitel 10
**Der Wohlfühltee Catuaba, eine ideale Ergänzung
zu Lapacho** 97
Catuaba – weckt die Lebensfreude 97
Catuaba gegen «Low Sexual Desire» 98

Kapitel 11
Die Heilkraft wildwachsender Pflanzen   101

Kapitel 12
Neun wertvolle Übungen zur Aktivierung des Immunsystems   103
Nachwort   115

Anhang
Das Wichtigste auf einen Blick   118
Was ist drin – im Lapacho Tee?   122
Wissenschaftliche Untersuchungen über die
Wirksamkeit von Catuaba (Erythroxylum catuaba)   124
Klinische Studien zu Lapacho   126
Weiterführende Literatur   128
Pressestimmen zu Lapacho   128
Musik, die Heilung und Wohlbefinden unterstützt   129
Kommentierte Bibliographie   130
Rezeptübersicht   133
Indikationsliste   134
Der Autor – Walter Lübeck   136
Adressen und Bezugsquellen   137

Ein Wort zuvor

Mit größtmöglicher Genauigkeit und Sorgfalt wurden die Recherchen zu diesem Buch durchgeführt und bei der Verfassung des Textes auf die Berücksichtigung des letzten Standes der Forschung geachtet. Dennoch können weder der Autor noch der Verlag in irgendeiner Form Haftung für die Gültigkeit der Informationen in dem vorliegenden Buch übernehmen. Autor und Verlag empfehlen ausdrücklich, bei allen Erkrankungen die Beratung und Behandlung durch kompetente Mediziner in Anspruch zu nehmen und mit diesen auch den Einsatz von Lapacho- und Catuaba-Tee, sowie anderen in diesem Buch genannten Nahrungsergänzungen, gesundheitsfördernden Nahrungsmitteln und entsprechenden Anwendungen abzusprechen. Keinesfalls sollten die Informationen in diesem Buch als Aufforderung zur Selbstmedikation bei behandlungsbedürftigen Erkrankungen verstanden werden. Ärzte, Heilpraktiker und Apotheker können fachlich kompetente Auskünfte für die individuelle Anwendung, die generelle Eignung, die Anwendungsweise und geeignete Dosis der in diesem Buch genannten Genesungshilfen geben und sollten vor deren Einsatz unbedingt konsultiert werden.

Einleitung

Wie der Lapacho-Tee mich fand

Das erste Mal hörte ich von Lapacho im Jahre 1995 in einer TV-Talkshow über Alternative Heilweisen. Ein Heilpraktiker sprach über eine von ihm entwickelte Heuschnupfen-Therapie und erwähnte, seinen Patienten regelmäßig zusätzlich Lapacho-Tee zu verordnen. Diese Heilpflanze sei nicht nur sehr wirksam, sondern schmecke auch noch gut. Leider wechselte dann das Thema und ich erfuhr nichts weiteres. Allerdings war ich nun neugierig geworden: Ein besonders heilkräftiger Kräutertee, der auch noch ein akzeptables Aroma haben sollte. Hmm!

Wie leider zu oft in meinen mit so vielen interessanten Ereignissen angefüllten Tagen, kam mir Lapacho erst einmal aus dem Sinn und ich vergaß, daß ich eigentlich dazu eine Recherche starten wollte. Aber wie der „Zufall" so spielt, wurde mir im Verlaufe der nächsten Monate von verschiedenster Seite immer wieder etwas über diesen geheimnisvollen Heiltee zugetragen.

Wie üblich, wenn ich Näheres über eine Sache herausfinden möchte, reservierte ich mir ein paar Tage für Nachforschungen und unternahm Streifzüge durch Bibliotheken und Buchhandlungen, befragte eine Reihe befreundeter Heilpraktiker und naturheilkundlich ausgerichteter Ärzte. Doch es war nicht viel mehr Konkretes herauszufinden als: „Es ist wohl eine Heilpflanze aus den Regenwäldern Südamerikas. Gut gegen Krebs, Tumore bilden sich zurück und durch Krebs ausgelöste Schmerzen verschwinden schnell; krankmachende Pilze im Körper, wie Candida, werden abgetötet und Lapacho trägt überaus wirksam zur allgemeinen Entgiftung bei; dabei ist er völlig unschädlich und sehr gut im Geschmack, richtig lecker! Warum er wirkt? Keine Ahnung. Das hat mir ein Patient/Kollege/Freund empfohlen, ich habe ihn ausprobiert und er hilft wunderbar."

Die Ergebnisse waren nicht sehr befriedigend. Außerdem wußte ich nun mittlerweile aus eigener Erfahrung, daß Lapacho-Tee gut schmeckt: nach Vanille, ein wenig nach Zimt und angenehm rauchig. Ich habe ihn bei meinem Teeladen um die Ecke entdeckt. Seitdem trinke ich ihn regelmäßig, weil er mir schmeckt und weil er mir guttut. Spannend fand ich eine Information über Lapacho, die von dem Inhaber des Teegeschäftes selbst zusammengestellt worden war und mir von der netten Verkäuferin unaufgefordert mit der Teepackung überreicht wurde. Dort war unter anderem zu lesen, daß Lapacho 80 Jahre lang von Wikinger-Händlern in Europa verkauft worden war. Er wurde damals schon von Kräuterkundigen wegen seiner großen Heilkraft viel gerühmt und war nur gegen Edelsteine einzutauschen. Weiter stand da: Ein russischer Zar sei nachweislich 130 Jahre alt geworden und hätte täglich mindestens eine Tasse Lapacho-Tee genossen. Sein Name war leider nicht genannt. „Na ja," dachte ich, „erzählen kann man viel." Trotzdem, wenn an diesen Geschichten etwas dran sein sollte ...

Mein Teehändler erwähnte bei einem längeren Telefonat, daß Lapacho-Tee von sehr vielen naturheilkundlich arbeitenden Medizinern im Umkreis verschrieben würde. Er hätte ihn eigentlich nur wegen der ständigen Anfragen in sein Programm aufgenommen – und der Tee würde sehr gut laufen. Wenige Tage später saß ich bei einem Cappuccino und einem von Mamma Lena, der gemütlichen Inhaberin meines italienischen Lieblingsbistro liebevoll zusammengestellten Antipastitellers und überlegte, wie ich noch weitere Informationen über den „Wundertee" bekommen könnte. Es gab keine Buchveröffentlichung. Ich schickte ein Stoßgebet zum Himmel, daß, wenn da oben irgend jemand der Ansicht sei, Lapacho wäre für mich wichtig, er sich bitte melden solle, kramte dann ein gerade im Zeitschriftenladen nebenan erstandenes Computerjournal aus meiner Aktentasche hervor und schlug es irgendwo auf. „Recherchen im Internet" stand da in Fettdruck oben auf der Seite. „Wie Sie Informationen auf dem letzten

Stand zu jedem Thema über das World Wide Web, das planetenumspannende Computernetzwerk bekommen." Ich staunte und las und war überzeugt: Wenn es überhaupt irgendwo etwas Ausführliches über das Wunderkraut aus Südamerikas Dschungeln zu erfahren gäbe, dann im Internet.

Das Jagdfieber hatte mich wieder gepackt. Wenige Stunden und eine Menge Telefonate später hatte ich einen meiner Freunde als Internet-Surfer enttarnt. Begeistert, daß endlich mal eine ernsthafte, nützliche Aufgabe im World Wide Web an ihn herangetragen wurde, willigte er gern ein, für mich das Internet nach Informationen über Lapacho zu durchstöbern.

Die Ergebnisse ließen nicht lange auf sich warten: Im Verlauf der nächsten Wochen bekam ich immer wieder Disketten, vollgepackt mit Berichten, neuesten Forschungsergebnissen und Literaturangaben. Als ich die ersten Texte auf dem Bildschirm meines Computers gelesen hatte, wußte ich, daß der ganze Aufwand gerechtfertigt war ...

Lapacho, der göttliche Baum, wie ihn die Indios nennen, ist eines der wirksamsten, preisgünstigsten und vielseitigsten Mittel gegen eine Vielzahl akuter und chronischer Erkrankungen, das jemals entdeckt worden ist. Schnell wurde mir klar, daß dieses Wissen möglichst vielen Menschen zugänglich gemacht werden mußte. Mein Entschluß, ein Buch über Lapacho zu schreiben, stand fest.

Und das Ergebnis halten Sie jetzt in Ihrer Hand. Ich wünsche angenehme Stunden beim Lesen und bin sicher, Lapacho wird Sie mindestens genauso begeistern wie mich.

Ihr

Walter Lübeck

Kapitel 1

Das ist Lapacho-Tee

Vorkommen und individuelle Merkmale

Lapacho-Tee besteht aus der inneren Rinde des Lapachobaumes, die ein bis zwei Mal im Jahr abgeschält und geraspelt wird. Dieses kleingeschnittene, recht weiche „Jung-Holz" wird als loser Tee oder im Teebeutel angeboten.

Der Lapachobaum, botanische Bezeichnung: *Tabebuia avellaneda* oder auch *Tabebuia impetiginosa*, kommt in weiten Teilen Süd- und Mittelamerikas vor. So zum Beispiel in: Argentinien, Bolivien, Brasilien, Kolumbien, Ecuador, Französisch Guajana, Paraguay, Peru, Surinam, Trinidad, Tobago und Venezuela. Es gibt Dutzende regionale Unterarten dieser Pflanze.* Sie kann sich an unterschiedliche Umweltbedingungen anpassen, ist robust und verhältnismäßig anspruchslos.

Der Familienname „Tabebuia" stammt aus einer indianische Sprache, die von verschiedenen Stämmen in Brasilien gesprochen wird. Manche Indianerstämme kennen den Baum als „Ameisenholz" (Taheebo), denn wenn er abgestorben ist, nisten sich in seinem Stamm gerne Ameisen ein. Der Baum wird übrigens von Termiten, Ameisen und anderen Parasiten zu Lebzeiten nicht direkt befallen. Sein Holz ist enorm hart, robust und widerstandsfähig, weswegen es seit den Zeiten der Inkas unter anderem auch gerne zur Herstellung von Bögen benutzt und von Holzfachleuten auch als „südamerikanische Eiche" bezeichnet wird. Ein anderer weitverbreiteter Name für den Lapacho-Baum ist aus dem oben genannten Grund *Pau d´Arco*, übersetzt „Bogenholz". Außer-

---

* Es gibt etwa ein halbes Dutzend Variationen in Zentralamerika, über 70 in der Karibik und mehr als 20 in Südamerika.

EXKURS: WIRD DER SÜDAMERIKANISCHE REGENWALD DURCH DIE NUTZUNG DES LAPACHO GEFÄHRDET?

Nach allen mir vorliegenden Informationen kann ich hierzu ganz klar „Nein!" sagen. Die innere Rinde des Lapachobaumes wird, ähnlich wie bei den Korkeichen, auf eine Weise geerntet, die den Baum in voller Gesundheit beläßt. Außerdem gibt es eine ganze Reihe von Lapacho-Farmen, wo die Bäume unter kontrolliert-biologischem Anbau heranwachsen. Die Rindenernte wird bei den wildwachsenden Bäumen einmal und auf den Plantagen zweimal im Jahr durchgeführt. Die besten Lapacho-Qualitäten stammen allerdings aus der Wildernte, da die volle Wirkstoffkombination (in der optimalen Zusammensetzung) erst ab einem Alter von ungefähr 40 Jahren zu finden ist. Da die breite medizinische Nutzung von Lapacho erst vor ein bis zwei Jahrzehnten begann, sind die Bäume der meisten Plantagen noch nicht alt genug, um die qualitativ hochwertigsten Lapacho-Tees liefern zu können. Aber dies wird von Jahr zu Jahr besser. Und da die Mehrzahl der Lapacho-Plantagen gleich von Anfang an auf biologisch-ökologischen Anbau gesetzt haben, wird damit auch ein nicht zu unterschätzender Beitrag für eine umweltverträgliche Landwirtschaft und ökologisch sinnvolle Arbeitsplätze geleistet, die zudem der traditionellen Kultur der Indios weitgehend entsprechen.
Auch bei der industriellen Nutzung des Lapachoholzes fällt Rinde an, die als Tee angeboten wird. Diese Quelle scheint auf dem Markt aber eine immer geringere Rolle zu spielen. Die Ernte des Lapachotees gefährdet den Bestand dieser Baumart also definitiv nicht.
Anders sieht es mit der industriellen Verwendung des wunderschönen und mechanisch enorm stabilen Lapacho-Holzes aus. Zwar ist die Gattung „Tabebuia" in Südamerika weit verbreitet und selbst nach neuesten Berichten unabhängiger Umweltschutzorganisationen weit entfernt von einer Ausrottung, andererseits sind aber einige wenige regionale Unterarten arg gefährdet. Deswegen ist der Aufbau von Lapachoplantagen und der Gebrauch des Tees so wichtig. Der Bestand läßt sich auf diese Weise langfristig sichern. Mehr dazu in dem folgenden Text.

dem enthält es Stoffe, die Ungeziefer abtöten oder ihnen das Leben ungemütlich machen. Der Name der Art „Impetiginosa" wurde abgeleitet aus dem traditionellen Gebrauch des Rindentees gegen die Krankheit *Impetigo*, einer eitrigen Entzündung der Gesichtshaut, auch Grindflechte genannt.

Lapacho – ein begehrtes Nutzholz

Lapacho liefert sehr stabiles und dekoratives Holz und wird deswegen seit langem für die unterschiedlichsten Zwecke verwendet. So zum Beispiel als Parkettboden, für Radio und TV-Gehäuse, Möbel und Schiffsplanken. Der Lapachobaum wird von der Industrie als Nutzholz für viele Zwecke eingesetzt, da er ausgezeichnete mechanische und ästhetische Eigenschaften hat. Der Lapacho ist definitiv nicht vom Aussterben bedroht und in großen Teilen Südamerikas weit verbreitet, in einem Umfang wie in Deutschland zum Beispiel Kiefern. Man findet ihn sowohl in den Regenwäldern der Tiefebene als auch in den Bergen bis zu Höhen von etwa 4000 Meter über dem Meeresspiegel. Er wächst auf gutem Mutterboden, im feuchten Dschungel des Amazonasgebietes, ist aber ebenso mit eher sandigem Untergrund zufrieden. Die botanische Gattung *Tabebuia* umfaßt etwa 100 Arten, die nach dem Aussehen der Blätter und Blüten auseinandergehalten werden. Der Lapacho mit seinen vielen regionalen Unterarten tritt als Strauch, aber auch als Baum auf. Voll ausgewachsen wird der Baum bis zu 25 Metern hoch und erreicht einen Stammdurchmesser von maximal 75 Zentimetern. Unter guten Bedingungen kann er stolze 700 Jahre alt werden.

Erst etwa ab dem 40. Lebensjahr sind in seiner inneren Rinde die wertvollen Stoffe in voller Konzentration und der optimalen Zusammensetzung zu finden, die seine überragende Heilkraft ausmachen. Die Stämme sind meistens sehr gerade und bis zu zwei Dritteln ihrer Länge, vom Erdboden an gemessen, frei von Zweigen. Seine Rinde ist verhältnismäßig glatt, an der Außenseite grau und innen rot-braun.

*Ein in Südamerika wildwachsender Lapachobaum
in voller Blüte*

Das Holz ist extrem hart (die „südamerikanische Eiche"), mechanisch sehr belastbar und hat eine schöne grün-braune bis grün-gelbe Färbung. Die im Holz verlaufenden Saftgefäße enthalten gelbe Kristalle, das sogenannte *Lapachol*. Der Lapacho trägt von Dezember bis Februar eines jeden Jahres wunderschöne, 4 bis 7,5 cm lange und 1 bis 5 cm durchmessende Blüten, die ein wenig wie Trompeten aussehen. In der Farbe sind sie außen rosa-rot bis tiefrot, in der Tiefe sind sie goldgelb bis hellgelb. Auf dem Umschlag des Buches können Sie die wunderschönen Blüten erkennen.

Der Lapacho-Baum wird vielerorts seit Jahren als Nutzholz oder zur Teeherstellung in Plantagen angebaut. Trotzdem der „Göttliche Baum" in vielen Gegenden Südamerikas wegen seiner umfassenden Heilkräfte bekannt ist, gibt es noch keine vergleichende pharmakologische Untersuchung aller seiner Erscheinungsformen (regionale Arten), so daß bis heute nicht genau bekannt ist, ob alle Lapacho-Arten die gleichen Wirkstoffe oder zumindest ähnliche besitzen. Vieles spricht dennoch dafür, wenn auch manche Vertreter der Gattung wirksamer bei bestimmten Symptomen zu sein scheinen. So schätzten die beiden neuzeitlichen „Entdecker" der Heilkräfte des Lapachos, Professor Walter Accorsi und Dr. Theodoro Meyer den Baum mit den purpurroten Blüten als Träger der größten Heilkraft ein. Von dieser Varietät stammt auch der überwiegende Teil des international vermarkteten Rindentees.

Wie auch immer: Indianerstämme nutzen die unterschiedlichen Arten dieser Pflanze seit Jahrhunderten zu ähnlichen Zwecken. Selbst bei den Inkas und Azteken war der heilkräftige Baum schon bekannt, und seine Hilfe wurde gern in Anspruch genommen. Ihm wurde immer schon die Eigenschaft zugesprochen, auf besondere Weise von den Göttern gesegnet zu sein: Die Schamanen des Amazonas-Regenwaldes betrachten ihn als eine der seltenen, wirklich großen Lehrerpflanzen, die unter besonderen Bedingungen einem aufgeschlossenen Menschen den medizinischen und spirituellen Gebrauch anderer Pflanzen erklären können.

Beispielsweise in Brasilien wird Lapacho in praktisch allen Apotheken und Kräuterläden in Form von Tee und oft auch homöopathischen Zubereitungen geführt. Hunderttausende gesundheitsbewußte US-Amerikaner nutzen den Tee, aus ihm hergestellte Kapseln und Auszüge seit Ende der achtziger Jahre. Von hier stammen viele äußerst positive Erfahrungsberichte.

Die Arten, aus denen die Arznei-Droge (Tee) für den Weltmarkt heute überwiegend hergestellt wird, sind die *Tabebuia impetiginosa* und auch die *Tabebuia avellaneda*. In Südamerika werden dagegen so gut wie alle Arten des Lapacho als starkes, vielseitiges Heilmittel gebraucht. Allerdings lassen sich nicht alle Arten des „Göttlichen Baumes" so einfach und risikolos für die Gesundheit einsetzen wie *T. impetiginosa*. Da Arten mit Nebenwirkungen meines Wissens nicht zur Teeherstellung für den internationalen Bedarf verwendet werden, brauchen wir uns beim Genuß von Lapacho keine Sorgen zu machen. Er wird hierzulande immerhin seit vielen Jahren in Teegeschäften, Bioläden, Apotheken und Reformhäusern angeboten, von Ärzten und vielen Heilpraktikern wärmstens empfohlen.

DIE VIELEN NAMEN DES GÖTTLICHEN BAUMES

Tabebuia impetiginosa ist in der Fachwelt unter anderem unter folgenden Synonymen bekannt:
- Bignonia heptaphylla
- Gelsemium avellanedae
- Tabebuia avellanedae
- Tabebuia nicaraguensis
- Tecoma adenophylla
- Tabebuia dugandii
- Tabebui heptaphylla
- Tabebuia ipe

IM REGIONALEN VOLKSMUND NENNT MAN IHN
UNTER ANDEREM AUCH SO:

- Acapro
- Alumbre
- Amapa (prieta)
- Bastard lignum vitae
- Bethabara
- Bow Stick od. Bow Tree[1]
- Canada
- Canaguate
- Capitaray
- Caroba
- Carobeira
- Chicala
- Coralibe
- Cortés
- Cortez
- Ebano verde
- Ebene vert
- Flor amarillo
- Groenhart

- Guayacan (polvillo)
- Hakia
- Ipe (roxo)[2]
- Ironwood[3]
- Lapacho
- Lapacho negro
- Madera Negra
- Pau d'Arco[4] (roxo)
- Polvillo
- Surinam greenheart
- Tabebuia
- Taheebo
- Tahuari
- Tahua
- Tahuari
- Taji
- Tamura
- Verdecillo

Die korrekte botanische Bezeichnung lautet:
Familie: *Bignoniceae*
Tribus: *Tecorneae*
Gattung: *Tabebuia Gomes ex DC.*

---

[1] Bogenstock, weil er wegen seiner herausragenden mechanischen Eigenschaften bereits von den Inkas gern als Material zum Schnitzen von hochbelastbaren Jagd- und Kampfbögen eingesetzt wurde.
[2] „Ipe" ist ein portugiesisches Wort für „Rinde" und „roxo" heißt „rot"
[3] Eisenholz, wegen seiner großen Härte
[4] Bogenstock oder Bogenbaum

Diese Liste von Synonymen habe ich erstellt, weil Lapacho unter zig verschiedenen Namen angeboten und beschrieben wird. Gemeint ist aber im Prinzip immer dasselbe Gewächs. Zu Beginn meiner Erkundungen war das für mich sehr verwirrend. Wer auf eigene Faust weiter forschen will, hat es mit dieser Liste viel leichter. In populärwissenschaftlichem Zusammenhang und im Handel sind die Namen Lapacho in Europa, Pau d´Arco in den USA und Kanada und Ipe Roxo und Pau d´Arco in den portugiesischsprachigen Ländern am meisten verbreitet.

Kapitel 2
Die Heilkräfte des Lapachobaumes werden entdeckt

Die erstaunliche Heilkraft der Lapacho-Rinde wurde erstmals durch den Wissenschaftler, Arzt und Pharmakologen Prof. Dr. Walter Accorsi (Universität von Sao Paulo, Brasilien), den Botaniker Dr. Theodoro Meyer und den Arzt Dr. Praz Ruiz in Argentinien bekannt.

Professor Accorsi widmete sein Leben seit dem Beginn seiner beruflichen Laufbahn als Botaniker der Erforschung von Heilpflanzen. Weit über die Grenzen Brasiliens war er für sein enormes diesbezügliches Wissen bekannt und auch bei Kollegen aus der Medizin und der Pharmaindustrie als Experte geschätzt.

Bei der Untersuchung der inneren Rinde des Lapachobaumes traf er schnell auf zwei wesentliche, therapeutisch nützliche Eigenschaften: Einerseits brachte sie Schmerzen zum Verschwinden, andererseits bewirkte sie zugleich einen deutlichen Anstieg der Zahl der roten Blutkörperchen. Ihre Aufgabe ist es, den Sauerstoff zu den Zellen des Körpers zu transportieren. Damit ist die Menge der roten Blutkörperchen von essentieller Bedeutung für Gesundungs- und Regenerationsprozesse aller Art und ebenso für die grundlegende Vitalität des Organismus. Lapacho wirkt unter dieser Perspektive ähnlich wie eine Sauerstoffkur. Im Vergleich dazu auch: „Kapitel 3 – Deshalb ist Lapacho so wirksam".

Überzeugt von einer Unzahl belegter Heilungsgeschichten aus der Bevölkerung und Erzählungen von Freunden und Kollegen, empfahl Professor Accorsi Lapacho zur Behandlung verschiedenster Leiden, insbesondere Diabetes, Krebs, Leukämie, Geschwüre und Rheumatismus. Wie der erfahrene Wissenschaftler gegenüber Journalisten des großen Magazins *O Cruzeiro* betonte, genügten seine Studien zur Zeit

(Ende der sechziger Jahre) noch nicht strengen akademischen Kriterien. Dennoch würde er zu seinen Empfehlungen stehen, weil es einfach zu viele positive Erfahrungsberichte gäbe und seine Untersuchungen der Inhaltsstoffe ebenfalls sehr gute Ergebnisse gezeigt hätten.

Wichtig: Bei der Auswertung der Patientenberichte fiel auf, daß erstaunlicherweise häufig bereits nach wenigen Tagen oder Wochen deutliche Besserungen von Beschwerden, selbst bei schwersten Leiden, auftraten!

Dr. Meyer von der staatlichen Universität Tucuman in Argentinien hat bereits in den sechziger Jahren die wichtigsten Wirkstoffe von Lapacho isoliert und ein Chinon mit nachweislich keimtötender Wirkung entdeckt. Es ist in seinem chemischen Aufbau dem Vitamin K ähnlich* und hat folgende Funktionen: Über die Unterstützung des Leberstoffwechsels bei der Produktion von Prothrombin und verschiedenen an der Blutgerinnung beteiligten Substanzen hat es blutstillende Wirkung. Außerdem deuten Forschungsergebnisse und Erfahrungsberichte darauf hin, daß es an der Atmungskette des Zellsystems beteiligt ist und demzufolge über die Sauerstoffversorgung der Zellen die Energieversorgung verbessert. Daraus läßt sich nachvollziehen, weshalb es eine tumorauflösende und entzündungshemmende Wirkung haben soll. Denn beide Gesundheitsprobleme gehen einher mit einer zumindest teilweise verminderten Sauerstoffversorgung des Gewebes. Normalerweise wird der Vitamin K-Komplex im menschlichen Körper von der gesunden Darmflora produziert.** Darüber hinaus kommt Vitamin K in allen grünen Pflanzen in unterschiedlichen Mengen vor. Es ist fettlöslich und wird durch Hitze, wie beim Kochen, zerstört.

Lapacho normalisiert die Zusammensetzung des Blutes. Sowohl innerlich als auch äußerlich angewendet kann er, wie es seit Jahrhunderten das Beispiel von Millionen Indios gezeigt hat, bei den verschiedensten Krankheiten eine große

---

* Genau genommen sind es mehrere Vitamine, die zusammenarbeiten. Die beiden wichtigsten sind: K1, Phyllochinon, und K2, Menachinon beziehungsweise Farnochinon.
** Doch bei wem ist die Darmflora heute noch rundum gesund?!

Hilfe sein, ohne daß gefährliche Neben- oder Wechselwirkungen zu befürchten wären. Im Gegenteil: Die innere Rinde des „Göttlichen Baumes" wird sogar besonders von kräuterkundigen Medizinern empfohlen, um die problematischen Begleiterscheinungen von Chemotherapien, Antibiotikabehandlungen und Kortisonmißbrauch zu lindern oder gar nicht erst entstehen zu lassen.

Ein Wissenschaftler lernt von den „Lords der Medizintasche"

Dr. Theodoro Meyer, ein argentinischer Botaniker, der für verschiedene wichtige Forschungen staatlicherseits Auszeichnungen erhielt, erfuhr von der Heilkraft des Lapacho bei seinen Forschungsaufenthalten bei dem Stamm der Kallawaya (Quollhuaya)-Indios. Sie sind Nachfahren der Inkas. Dieser Stamm bringt seit beinahe einem Jahrtausend die wohl berühmtesten Pflanzenheiler Südamerikas hervor. Ungefähr eintausend Heilpflanzen wurden von ihnen katalogisiert und werden auch heute noch regelmäßig zu Behandlungen eingesetzt.*

Wie die meisten traditionellen Medizinkundigen in Südamerika, haben auch die Kallawaya keinerlei Vorurteile gegenüber der westlichen Medizin und ihren Vertretern. Es ist für sie vollkommen normal, einen ihrer Schützlinge von einem Arzt mit Antibiotika behandeln zu lassen und ihm zu-

---

*Bereits Anfang diesesJahrhunderts genossen die Kallawaya-Heiler weltweiten Ruf als „Wunderdoktoren aus dem Urwald". Ihr Heilungssystem wurde mit großem Erfolg auf der Pariser Weltausstellung gezeigt. Bei dem Bau des Panamakanals ließ man die Kallawaya rufen, um die vielen an Gelbfieber erkrankten Arbeiter zu behandeln. Die Medizin der Kallawaya basiert auf von Generation zu Generation überliefertem und immer wieder erweitertem und praktisch überprüftem Pflanzenwissen, einem zum Teil auf Orakel- und Trancearbeit basierendem Diagnosesystem und spirituellen Praktiken wie dem Mesa-Ritual. Ein Kallawaya-Heiler beginnt eine Behandlung nur dann, wenn er bei der Anrufung seiner Schutzgeister einen positiven Bescheid bekommen hat. Deswegen beträgt die Heilungsquote dieser „Andenschamanen" beinahe 100 %.

sätzlich ein Kräuterrezept auszustellen. Auch Dr. Meyer nahmen sie mit großer Offenheit auf und ließen ihn an ihrem umfassenden überlieferten Wissen teilhaben. Hier erfuhr der große Botaniker viel von den Heilern, die von der Bevölkerung respektvoll die „Lords der Medizintasche" genannt werden. Lapacho, so lehrten sie ihn, ist eine der großen „Lehrerpflanzen", die zur Heilung und Linderung einer Vielzahl von chronischen Krankheiten, besonders Krebs, Leukämie, Diabetes und Rheuma, eingesetzt werden kann. Fasziniert von dem göttlichen Baum, forschte er selbständig weiter und pflegte auch einen regen Meinungsaustausch mit Kollegen wie Prof. Dr. Walter Accorsi, die ebenfalls an dem Thema arbeiteten.

Viele Jahre bemühte sich der Botaniker darum, in schulmedizinischen Kreisen über die phantastischen Heilkräfte des Lapacho aufzuklären – ohne Erfolg. Er starb, frustriert von der Uneinsichtigkeit der etablierten Wissenschaft, im Jahre 1972. Aber in den letzten Jahren wird seine Forschungsarbeit über Lapacho zunehmend ernster genommen, wie viele kürzlich durchgeführte klinische Studien über die Heilkräfte des „göttlichen Baumes" zeigen. Eine wachsende Schar begeisterter Lapacho-Anwender hat aber mit ihren Erfahrungen die langsame Anerkennungsarbeit der Schulmedizin längst überholt.

Ein brasilianischer Professor entdeckt zwei „große Wahrheiten"

Für viel Aufregung sorgte im Jahre 1967 ein Zeitungsinterview mit dem Mediziner Professor Walter Accorsi vom Städtischen Hospital in Santo André, einer Vorstadt von Sao Paulo. Der Arzt erklärte hierin, daß bereits bei seinen ersten Experimenten mit Lapacho zwei bemerkenswerte Wirkungen feststellbar waren: Zum einen brachte der Tee schnell die oft unerträglichen Schmerzen, die viele Krebskranke so unsäglich belasten, zum Verschwinden, zum anderen wurde durch die Behandlung mit Lapacho die Zahl der roten Blutkörperchen in kurzer Zeit vervielfacht und damit der Organismus über den Stoffwechsel wesentlich besser mit lebensnotwendigem Sauerstoff versorgt. Öffentlich empfahl er den Tee zur Behandlung vieler chronischer Leiden, was zur Folge hatte, daß lange Zeit Schlangen von Tausenden von Hilfesuchenden vor seiner Praxis standen. Es folgten angeregte Diskussionen in den brasilianischen Medien über das Für und Wider der Lapacho-Therapie. Professor Accorsi verteilte die Rinde des göttlichen Baumes gratis an die Kranken und ermunterte sie, davon Tee zu bereiten und einen alkoholischen Auszug zu machen, der alle drei Stunden teelöffelweise eingenommen werden sollte. Genaue Dosierungsanweisungen gab er nicht. Er sagte zu diesem Thema, es seien noch keine ausreichenden Daten über die Wirkstoffe im Lapacho vorhanden. Wenn das Maximum der täglichen Einnahmemenge bei dem jeweiligen Menschen erreicht sei, würde er einen leichten, völlig ungefährlichen Hautausschlag bekommen. Dann solle man die Dosis etwas herabsetzen. Die Hauterscheinungen würden dann schnell, und ohne irgendwelche gesundheitlichen Probleme zu bereiten, verschwinden.

Die öffentliche Bekanntmachung der enormen Heilkräfte des Lapacho-Tees hatte aber auch negative Seiten: So wurde niemals wieder, zumindest nicht offiziell, in dem Hospital von Santo André Lapacho verschrieben, seitdem die groß aufgemachte Berichterstattung in dem Magazin *O Cruzeiro* erschienen war. Die Krankenhausleitung und viele der Ärzte fürchteten den Spott und die internationale Verunglimpfung als Quacksalber im Kollegenkreis. Im Santo André war vorher seit Jahren regelmäßig mit besten Erfolgen mit Lapacho-Tee und Auszügen aus der Rinde behandelt worden.

Erst in den achtziger Jahren begannen dann allerdings weltweit eingehende wissenschaftliche Studien zur Erforschung der Heilkräfte des Lapacho-Baumes. In Japan, Deutschland, Schottland, Nigeria und den USA wurden entsprechende Untersuchungen durchgeführt und die jahrhundertealten Erfahrungen der Indios Südamerikas im Schnitt durchwegs bestätigt. Allerdings wurde eines immer deutlicher: Es gibt nicht den einen „Wunderwirkstoff" im Lapacho, der für alles Gute verantwortlich ist. Seine umfassende Heilkraft ergibt sich aus der Gesamtheit der in dieser, wohl mit Fug und Recht einmalig zu nennenden, Pflanze vorliegenden Substanzen, ihrer glücklichen Abstimmung und harmonischen Verbindung untereinander. Wegen der phantastischen Wirkstoffkomposition können bereits kleinste Mengen einzelner Wirkstoffe Entscheidendes beispielsweise zur Hemmung des Wachstums von Tumoren beitragen. Werden die Komponenten isoliert angewendet, schwindet viel von ihrer Heilkraft, und oft geht auch die exzellente Verträglichkeit und die harmonische Wirkung des Tees verloren.

Kapitel 3

Deshalb ist Lapacho so wirksam

Die Heilkräfte des Lapacho-Baumes lassen sich also nicht auf einen einzelnen Bestandteil zurückführen. Es ist die einzigartige Wirkstoffkombination, die seine breite therapeutische Anwendung ermöglicht. In diesem Kapitel habe ich einen Überblick über die bisher von der Forschung entdeckten Inhaltsstoffe und ihre Bedeutung zusammengestellt. Das Fachpublikum unter den Lesern möge mir die allgemeinverständliche Art der Darstellung verzeihen. Eine Fülle von detaillierten Informationen für die verschiedenen Fachbereiche sind den im Anhang aufgeführten wissenschaftlichen Publikationen zu entnehmen.

Verbesserung der Sauerstoffversorgung

In der roten inneren Rinde des Lapacho-Baumes sind große Mengen Sauerstoff in einer für den menschlichen Organismus leicht verfügbaren und besonders wertvollen Form gebunden. Sauerstoff in dieser Form kann sehr effektiv Bakterien, Protozoen, Pilze und Viren abtöten. Die Körperzellen werden besser ernährt – denn Sauerstoff ist sozusagen ihr Lebenselixier – und Beläge, die den Stoffwechsel behindern, lösen sich von den Wandungen der Gefäße. Gleichzeitig wird die Vitalität und Flexibilität dieser wichtigen Blutgefäße wesentlich verbessert. Die Enzymtätigkeit* im Körper wird auf

---

*Enzyme, früher auch als Fermente bezeichnet, sind Eiweißstoffe, die als Katalysatoren eine Vielzahl chemischer Reaktionen im Körper erleichtern und beschleunigen, ohne sich selbst dabei zu verändern. Sie werden für die Umbildung der Nahrung im Darm ebenso benötigt wie zur Bekämpfung

breiter Basis durch die direkte Sauerstoffzufuhr angeregt. Weiterhin fördert Lapacho in hohem Maße die Bildung roter Blutkörperchen und verbessert damit die Möglichkeiten zum Sauerstofftransport im Organismus.

Diese Eigenschaften des „Göttlichen Baumes" waren es, die weltweit die Aufmerksamkeit von Forschern auf sich zogen, die sich mit den medizinischen Anwendungen von Sauerstoff befassen. Während der 80er Jahre ergaben eine Reihe klinischer Studien deutliche Hinweise darauf, daß beispielsweise Ozon, intravenös injiziert, oder auch die schon früher entwickelte berühmte Sauerstoff-Mehrschritt-Therapie von Professor Ardenne, dem Organismus in vieler Hinsicht helfen kann. Mit Lapacho war nun erstmals eine Pflanze entdeckt, die als Sauerstoffquelle, aber auch als Anreger der Bildung roter Blutkörperchen ergänzend zu anderen Sauerstoff-Kuren eingesetzt werden kann. Es empfiehlt sich deshalb, Lapacho ergänzend bei verschiedensten Ozon- und Sauerstofftherapien anzuwenden. Ebenso machen die angesprochenen Eigenschaften Lapacho sehr nützlich zur Verbesserung der Wundheilung.

Natürliche antibiotische und tumorheilende Inhaltsstoffe

Lapachorinde enthält verschiedene keimtötende Substanzen. Bereits in den sechziger Jahren wurde von dem argentinischen Botaniker Dr. Theodoro Meyer darin ein natürliches, ganzheitlich wirkendes Antibiotikum ohne nennenswerte

---

bestimmter Krankheitserreger und zur Aufrechterhaltung der normalen Funktion des Stoffwechsels der Zellen. Enzyme liefern wichtige Beiträge zur Entgiftung und Entschlackung des Körpers, indem sie schädliche oder den Stoffwechsel behindernde Substanzen umwandeln und ausscheidbar machen. Deswegen werden in den letzten Jahren Enzyme auch verstärkt zur Therapie chronischer Entzündungen und zur Behandlung von Krebserkrankungen eingesetzt. Ein genialer Pionier der modernen Enzymtherapie war der *Arzt Professor Max Wolf.*

schädliche Nebenwirkungen (solange es im Zusammenhang der ganzen Biologie der Pflanze angewendet wird) entdeckt. Dieser Stoff, ein Chinon mit der Bezeichnung *Lapachol,* wurde später auch vom renommierten amerikanischen *National Cancer Institute* bezüglich seiner Heilkraft bei Tumoren getestet. Erst in jüngster Zeit wurden unter anderem in Deutschland, Schottland, Japan und den USA weitergehendere Untersuchungen durchgeführt und insgesamt *zwölf* Chinone mit antibiotischen Eigenschaften gefunden. Erst im komplexen Zusammenspiel ergeben sich allerdings die überragenden Heilwirkungen, für die Lapacho so geschätzt wird. Diese Stoffe sind auch in Bezug auf Krebserkrankungen von Bedeutung. Sie können Tumore in ihrem Wachstum hemmen, Krebszellen abtöten und Metastasenbildungen verhindern. Außerdem: Wenn sie zusammen auftreten, sind für umfassende Wirkungen nur geringe Mengen zur erfolgreichen Stimulation des Immunsystems nötig!

Der Münchner Forscher *Bernhard Kreher* schrieb seine Doktorarbeit über die immunstimulierende Wirkung von Lapacho. Er kam zu hochinteressanten Ergebnissen: Die Aktivität des körpereigenen Abwehrsystems wurde um über 48 % verstärkt!

Weiterhin enthält Lapacho sehr viel Calcium und Eisen, die den Sauerstofftransport, also die Ernährung des Gewebes und das Immunsystem unterstützen und somit den Organismus insgesamt kräftigen.

Selen ist in vergleichsweise mittlerer Konzentration enthalten. Selen ist ein wichtiges Antioxydans, ein Fänger sogenannter „Freier Radikale", die Zellen und Zellkern schädigen, die Körperabwehr schwächen und verschiedene Erkrankungen, unter anderem Krebs, in ihrer Entstehung begünstigen oder sogar auslösen können. Selen vermag den Körper von dem Schwermetall *Cadmium* zu entgiften, das heute eines der häufigsten Umweltgifte ist und unter anderem Bluthochdruck und Koronarerkrankungen des Herzens hervorruft sowie die Abwehrkräfte des Körpers schwächt.

Saponine gegen schädliche Pilze und Krebs

Die in Lapacho-Tee reichlich vorhandenen besonderen Seifenstoffe (Saponine) sind natürliche Antimykotika, die den Körper vor schädlichen Pilzen schützen und ein Klima schaffen, das diese sogar vertreiben kann.

Wenn Pflanzentee kräftig geschüttelt wird, werden Saponine in Form von Schaum sichtbar.* Die Lapacho-Saponine erleichtern bei der Verdauung im Dünndarm die Aufnahme wichtiger Wirkstoffe anderer Heilkräuter, die mitunter zu wenig von diesen Substanzen enthalten. So erklärt sich, weshalb Lapacho-Tee von Kräuterheilkundigen alter Traditionen gerne in Mischungen verschiedener Heilpflanzen gegeben wird. Er verstärkt erfahrungsgemäß die gesundheitsfördernden Wirkungen anderer Bestandteile. Einige der in Lapacho enthaltenen Saponine sind außerdem in der Lage, das Wachstum von Tumoren zu reduzieren. Japanische Forscher, die dies herausfanden, ließen sich aus diesem Grund die speziellen Lapacho-Seifenstoffe als Krebsheilmittel patentieren.

Lapacho und Diabetes

In der traditionellen südamerikanischen Heilkunde wird Lapacho bei der Behandlung der Zuckerkrankheit (Diabetes mellitus) geschätzt. Wie aber begründet sich diese Wirkung?

Brasilianische Forschungen ergaben, daß Lapacho die Aufnahme von Glukose (Traubenzucker) im Darm hemmt. Glukose erhöht dadurch, daß sie direkt ins Blut übergehen kann, also ohne vom Stoffwechsel weiter umgebaut werden zu müssen, schnell den Blutzuckerspiegel in einem für den Organismus nicht zuträglichen Maße. Deswegen werden sofort größere Mengen Insulin von der Bauchspeicheldrüse ausgeschüttet, um den Blutzuckerspiegel wieder zu norma-

---

*Das funktioniert auch mit Schwarztee – versuchen Sie es einmal!

> Unter der Bezeichnung *Diabetes* werden verschiedene Formen der Störung des Glukosestoffwechsels zusammengefaßt. Immer zu beobachten ist bei Diabetes ein relativer oder absoluter Mangel an *Insulin*, einem in der Bauchspeicheldrüse hergestellten Hormon. Dieser Stoff senkt den Blutzuckergehalt auf ein normales, dem Organismus zuträgliches Niveau. Wird zuwenig Insulin bereitgestellt, lagern sich zum Beispiel durch den zu hohen Blutzuckerspiegel Zuckerkristalle an den Wänden von Blutgefäßen ab. Bei Diabetikern wird durch den organisch nicht verwertbaren Zuckerüberschuß der Stoffwechsel insgesamt drastisch gestört. Die Infektionsanfälligkeit nimmt zu, die Vitalität läßt nach, es kommt zu Sehstörungen, und als Spätschäden können an Armen und Beinen durch die immer schlechtere Durchblutung Gewebe absterben. Die Behandlung des Diabetes erfolgt heute in der Schulmedizin in der Regel durch äußere Zufuhr von Insulin, Diät und Bewegungstherapie. Risikofaktoren, die die Entstehung von Diabetes begünstigen, sind unter anderem: langfristiger hoher Streß, ein zu großer Zuckeranteil in der Ernährung, regelmäßiger und zu hoher Alkoholkonsum, chronische Infektionen und starkes Übergewicht sowie mangelnde Bewegung. Wer sich diese Liste aufmerksam ansieht, wird sich nicht wundern, warum in den westlichen Industrieländern diese Erkrankung seit Jahren auf dem Vormarsch ist.

lisieren. Oft tritt nun als Folge eine Unterzuckerung (Hypoglykämie) auf, und es entstehen Abgeschlagenheit und Appetit auf „was Süßes". Wird häufig Industriezucker, pur oder „verpackt", in größeren Mengen gegessen, erfährt dadurch die Bauchspeicheldrüse eine so starke Belastung, daß sie bei konstitutioneller Schwäche oder anderen negativen Begleitumständen (siehe Kasten) in ihrer Fähigkeit, Insulin zu produzieren, geschädigt wird. Wenn die Aufnahme von Glukose im Darm durch Lapacho gehemmt wird, entlastet dies sofort die Bauchspeicheldrüse. Außerdem wird der Stoffwechsel dazu veranlaßt, seine Energie zum größten Teil aus der Verwertung langkettiger Kohlehydrate und aus Fetten zu beziehen. Dies unterstützt die Normalisierung des Appetits, der Hunger nimmt in manchen Fällen ab, und es wächst die Neigung zu gesünderer Ernährung, wie ich aus einer Reihe von Erfahrungsberichten schließen konnte.

Bereits innerhalb weniger Wochen wird so in vielen Fällen, vorausgesetzt es werden keine extremen Ernährungsfehler gemacht, ohne zu hungern einiges an Übergewicht abgebaut.

All dies sind ideale Voraussetzungen für die Bauchspeicheldrüse, um sich zu erholen. Lapacho soll weiterhin nach Angaben der Münchner Ärztin für Naturheilkunde Angelika Franz funktionsverbessernd auf den Milz-Pankreas-Meridian wirken. Gleichzeitig:

- übt Lapacho durch die Verbesserung der Sauerstoffversorgung einen heilenden Einfluß auf Spätschäden der Zuckerkrankheit aus
- beugt zukünftigen Stoffwechselproblemen vor
- hilft bei der Geweberegenerierung
- und bringt durch seine nebenwirkungsfreien antibiotischen Wirkstoffe Entzündungen (eine große Gefahr für Diabetiker, wegen der oft Gliedmaßen amputiert werden müssen) zum Abheilen.

Lapacho sollte wegen dieser umfassenden gesundheitsfördernden Wirkungen und seiner ausgezeichneten Verträglichkeit unbedingt einen festen Platz in der Diabetestherapie erhalten. Wer bei sich ein durch die Art der Lebensführung und/oder Vererbung erhöhtes Diabetesrisiko* vermuten kann, ist gut beraten, Lapacho als Haustee in sein tägliches kulinarisches Fitnessprogramm aufzunehmen.

---

* Wenn bei Eltern oder Geschwistern Diabetes aufgetreten ist, ist oft ein erhöhtes Risiko einer entsprechenden Erkrankung gegeben. Wer sich genauer informieren und seine individuelle Gesundheitslage bezüglich Diabetes klären möchte, sollte einen für die Diabetesbehandlung speziell geschulten Arzt konsultieren.

Xylodion – Der Stoff, der Candida-Pilze aus dem Körper jagt

Eine organische Verbindung mit dem Namen *Xylodion* wurde erst vor wenigen Jahren von Forschern als ein wichtiger Faktor für die antimykotische (pilztötende) Wirkung von Lapacho-Tee in Bezug auf die immer häufiger auftretenden Candidasis-Infektionen identifiziert. Xylodion besitzt außerdem bemerkenswerte antibakterielle und antivirale Qualitäten.

Lapachol – Der bislang am weitesten erforschte Wirkungsträger

Eines der zu Anfang dieses Kapitels erwähnten Chinone wird als *Lapachol* bezeichnet. Es wurde bereits in den sechziger Jahren von Dr. Theodoro Meyer, einem der beiden Pioniere der Lapacho-Forschung, entdeckt. Von ihm stammen erste Berichte über die tumor- und entzündungshemmenden Eigenschaften dieser Substanz. In den folgenden Jahrzehnten erforschten rund um die Welt verschiedene Wissenschaftler in Laboruntersuchungen und klinischen Studien das Lapachol eingehend. Folgende Aussagen lassen sich heute darüber machen ...

- Lapachol entfaltet eine eindeutige antivirale Aktivität, unter anderem gegenüber: Polioerreger Typ 1; Herpes simplex Typ 1 und 2; verschiedene Grippeerreger.
- Die entzündungshemmenden Eigenschaften von Lapachol sind wesentlich stärker als zum Beispiel die von *Phenylbutazon*.
- Geschwüre werden durch Lapachol geheilt. Die Substanz beugt sogar beispielsweise der Entstehung von Magen- und Zwölffingerdarmgeschwüren vor, die durch Streßüberlastung hervorgerufen werden können.
- Lapachol kann häufig Schmerzen, die durch Krebserkrankungen entstehen, lindern.

- Lapachol darf in keinem Fall in isolierter Form während der Schwangerschaft angewendet werden. (Gilt *nicht* für Lapacho-Tee!)
- Die sehr geringen Konzentrationen von Lapachol im Tee, der aus der inneren Rinde des Baumes gewonnen wird, aktivieren verschiedene Immunzellen im menschlichen Körper, die Lymphozyten und Granulozyten. *Wesentlich höhere Konzentrationen haben diesbezüglich keine so gute Wirkung.*
- Selbst Malaria kann mittels Lapachol behandelt werden.
- In *isolierter*, also aus dem biologischen Zusammenhang der Herkunftspflanze herausgelöster, Form und in hohen Dosen, täglich 1500 mg und mehr, setzt Lapachol die Gerinnungsfähigkeit des Blutes deutlich herab und verursacht Übelkeit und Erbrechen. Laut Dr. J. B. Block, dem Hauptautor der klinischen Studie des *National Cancer Institute*, USA, über Lapachol, konnte allerdings selbst bei diesen hohen Dosen keine Giftigkeit in Bezug auf Leber und Nieren festgestellt werden. In der klinischen Anwendung wurde erfolgreich getestet, die durch Lapachol herabgesetzte Blutgerinnung durch zusätzliche Gaben von Vitamin K auszugleichen. Bei den oben angegebenen Dosen ergaben sich deutliche antitumorale Wirkungen.

Leider wird immer wieder in Veröffentlichungen die Wirkung von Lapacho-Rindentee gleichgesetzt mit der Wirkung von Lapachol. Dies ist definitiv falsch. Lapachol ist ein Inhaltsstoff, der zwar in dem Kernholz in hohen Konzentrationen vorkommt, in der Rinde aber nur in Spuren vorhanden ist. Lapachol in isolierter Form ist ein recht aggressives, wenn auch unzweifelhaft medizinisch vielseitig nützliches Mittel. Der Lapacho-Tee ist in seiner Wirkung im Vergleich dazu sehr harmonisch. Die Natur hat ein Konzert von verschiedensten heilsamen Substanzen in der Rinde des Lapachobaumes zusammengeführt. Erst diese gelungene Synthese macht seine einzigartige Wirkung aus. Sie läßt sich keinesfalls auf einige einzelne Stoffe eingrenzen. Im Gegenteil: Geht der natürliche Zusammenhang verloren, stellen sich Nebenwirkungen aller Art ein, wie sie ja auch von anderen isolierten Wirkstoffen hinlänglich bekannt sind.

Weitere Wirkstoffe

Es gibt natürlich noch eine ganze Reihe weiterer wichtiger Wirkstoffe im Lapacho-Tee, wie beispielsweise Veratrumsäure und Veratrumaldehyd, beides Substanzen, die auf unterschiedliche Weise das Immunsystem kräftig anregen und weitere, die von bedeutender Heilkraft sind. Ich habe aber bewußt darauf verzichtet, diese im Einzelnen zu beschreiben, da diesbezügliche Kenntnisse für die praktische Anwendung des Tees nicht wichtig sind und zum Verständnis der immunologischen Zusammenhänge einiges an Fachwissen nötig ist. Ich verweise die Interessierten auf die ausgezeichnete Arbeit von Dr. Bernhard Kreher, die im Anhang auf Seite 122 aufgeführt ist. Dr. Kreher hat die wohl bisher ausführlichste Analyse von Lapacho durchgeführt. Spezialisten werden dort voll auf ihre Kosten kommen. Ein wichtiges Ergebnis seiner Arbeit ist unter anderem, daß die optimale Stimulierung des körpereigenen Immunsystems durch nur winzige Spuren der Wirkstoffe im Lapacho-Tee geschieht.

Kapitel 4

Hat Lapacho-Tee Nebenwirkungen?

Es war für mich während meiner Nachforschungen kaum zu glauben, daß ich über diese Heilpflanze nirgends Warnungen wegen Nebenwirkungen, Wechselwirkungen, Überdosierungen oder Gegenanzeigen finden konnte.

Immerhin stieß ich dann doch noch auf eine Information des *National Cancer Institute* (USA). Dementsprechend können sehr hohe Dosen *Lapachol*, eines isolierten Inhaltsstoffes von Lapacho*, Übelkeit, Erbrechen und verminderte Fähigkeit der Blutgerinnung bewirken.

Dies kann natürlich zu Unsicherheit bezüglich des Gebrauchs von Lapacho führen. Deswegen möchte ich an dieser Stelle ganz klar sagen: Die in diesem Buch empfohlenen Dosierungen sind allgemein unter naturheilkundlichen Behandlern üblich und werden seit vielen Jahren problemlos verwendet. Ebenso ist es durchaus vertretbar, Lapacho als Haustee, also als regelmäßig in größeren Mengen genossenes Getränk auch außerhalb therapeutischer Anwendungen, mit prophylaktischen Eigenschaften und gutem Geschmack zu empfehlen. Er wird in dieser Form seit Jahrhunderten von Indianern in weiten Teilen Süd- und Mittelamerikas verwendet. Ebenso liegen inzwischen Erfahrungsberichte vieler Anwender aus Europa, Australien, Japan, den USA und Kanada vor, die den Gebrauch von Lapacho als tägliches Getränk in normalen Mengen, also je nach Alter, Größe und Gewicht, von 0,3 bis 1,5 Litern pro Tag nicht nur als unbedenklich, sondern als durchaus empfehlenswert erscheinen lassen.

---

*Vergleiche die diesbezüglichen Angaben im vorigen Kapitel.

Der erfahrene Botaniker Dr. Theodoro Meyer und auch der Arzt Prof. Dr. Walter Accorsi, die beide intensiv die Anwendungen von Lapacho intensiv untersuchten, stellten übereinstimmend fest, daß Lapacho von Männern, Frauen und Kindern jeden Alters, auch von Schwangeren, unbedenklich genossen werden könne. Die einzigen Anzeichen einer *extremen Überdosierung*, die in jahrelangen Forschungen feststellbar waren, sind ein mäßiger Juckreiz und leichter Ausschlag, die in kurzer Zeit vergehen, wenn die verabreichte Menge herabgesetzt wird.

Mitte der 80er Jahre wurden an der Universität von Hawaii Untersuchungen mit Lapacho-Tee an Labormäusen angestellt, die belegen, daß von ihm keine toxischen Wirkungen ausgehen. Selbst bei täglichen Dosen von 2 Gramm pro Kilo Körpergewicht waren bei diesen Versuchen keinerlei organische Schäden zu beobachten.

Im Vergleich mit einem weltweit verbreiteten Getränk – dem Kaffee – schneidet Lapacho-Tee in Bezug auf Giftigkeit *deutlich* besser ab.* Im Klartext: Wenn Sie drei bis fünf Tassen Kaffee pro Tag gut vertragen, können Sie bei der gleichen Menge oder mehr Lapacho ebenfalls sicher sein, keine Probleme zu bekommen. Von den sonstigen Nebenwirkungen des Kaffees, die Lapacho nicht hat, schweige ich hier.

Wenn Sie zwei ganz einfache Regeln haben möchten, anhand derer Sie feststellen können, ob Ihr Körper gerne mehr Lapacho möchte oder erst einmal genug hat, dann achten Sie auf folgendes:

1. Solange Appetit auf Lapacho da ist, kann er bedenkenlos genossen werden; stellt sich Abneigung ein, wird einige Zeit die Menge verringert und ein anderes Getränk ersatzweise oder ergänzend getrunken. Zum Beispiel *Catuaba* oder *Grüner Tee*, die beide ebenfalls bedeutende gesundheitsfördernde Eigenschaften besitzen. Diese

---

*Laut einer Untersuchung des *United States Department of Agriculture* (USDA).

"Appetitsregel" verwendet Ihre eigenen Körpersignale als Gradmesser. Ihr Körper kennt seinen Bedarf an einem bestimmten Lebensmittel in der Regel am besten.

2. Wie Dr. Theodoro Meyer feststellte, läßt sich die individuelle Maximaldosis ganz einfach daran feststellen, daß bei Überdosierung ein leichtes Hautjucken und ein schwacher Ausschlag auftreten. Diese Erscheinungen klingen rasch wieder ab, sobald die tägliche Menge reduziert wird. Die Symptome sind nicht bedenklich und hinterlassen keine problematischen Folgen.

Manche Arten des Lapacho-Baumes enthalten größere Mengen von Gerbsäure (Tannin), einer Substanz, die auch in Schwarztee und Kaffee vorkommt. Wenn stark gerbsäurehaltige Getränke in größeren Mengen und häufig wiederholt *sehr* heiß konsumiert werden, können die Schleimhäute des Mund- und Rachenraumes, der Speiseröhre und des Magens geschädigt werden. Zwar sind die meisten auf dem Markt erhältlichen Lapacho-Tees verhältnismäßig arm an Gerbsäure, trotzdem: Trinken Sie den Tee vorzugsweise lauwarm oder gekühlt, dann sind auch *große Mengen ohne jede problematische Auswirkung auf die Schleimhäute*. Eine andere Lösung: Gerbsäure wird bereits durch wenige Tropfen Milch oder Sahne gebunden.

Die Empfehlungen in diesem Absatz gelten übrigens gleichermaßen für Tee und Kaffee!

Zum Abschluß dieses Kapitels noch ein Hinweis: Es gibt einige wenige Arten des Lapachobaumes, die weiße oder gelbe Blüten tragen, für die das oben über die gute Verträglichkeit Geschriebene nicht zutrifft. Zwar wird auch diesen Bäumen traditionell große Heilkraft zugesprochen, aber Tees und Tinkturen aus ihrer inneren Rinde werden nur in sehr kleinen Mengen als Arzneien hoher Wirksamkeit verwendet. Als Haustee werden sie nicht eingesetzt, weil größere Mengen davon Hautschädigungen bewirken und Stoffwechselprobleme auslösen. Die stoffliche Zusammensetzung dieser

Lapachoarten unterscheidet sich zum Teil wesentlich von der Varietät mit purpurfarbenen Blüten. Im Handel ist Rinde von den problematischen Vertretern dieser Gattung meines Wissens nicht zu finden.

ZUSAMMENFASSUNG

Es gibt nicht viele Genußmittel, die so heilsam und verträglich sind – auch bei langfristiger Anwendung – wie Lapacho. Ich betrachte es aber als meine Pflicht, wenn ich ein Buch schreibe, das Thema von möglichst allen Seiten zu beleuchten, damit der Leser sich selbst ein umfassendes Bild machen kann und etwaige Risiken einzuschätzen vermag.

Kapitel 5

Lapacho-Tee genießen: die richtige Zubereitung

> Was Sie unbedingt wissen müssen, bevor Sie Ihren ersten Lapacho-Tee zubereiteten: Auf keinen Fall darf der gekochte Tee in einem Topf, der Aluminium oder Zinn enthält gekocht oder aufbewahrt werden! Diese Metalle gehen während des Erhitzungsprozesses eine chemische Verbindung mit verschiedenen Bestandteilen des Lapacho-Tees ein und mindern so die Heilwirkung beträchtlich. Andere Materialien, wie Glas, Gußeisen, Keramik, Porzellan, Stahl oder Ton, sind gut geeignet. Gleichfalls sollte der Tee nicht längere Zeit mit Plastik in Berührung kommen oder darin gelagert werden! Es macht ihn zwar nicht unwirksam, aber es kann, je nach Art und Zusammensetzung des Kunststoffes, zu Wirkungsabschwächungen kommen. Dies gilt auch für die Aufbewahrung Ihrer nicht zubereiteten Lapacho-Tee-Vorräte!

Wird Lapacho kurmäßig getrunken, also nicht nur als gesundheitserhaltender Haustee, sollte er ungesüßt zwischen den Mahlzeiten auf nüchternen Magen genossen werden.

Die Temperatur sollte lauwarm bis kühl sein. Der Tagesbedarf liegt zwischen drei Bechertassen à 0,2 l und zwei Litern, je nachdem, ob eine große Wirkung gewünscht ist, beziehungsweise bei sehr kräftiger Statur.

Da Lapacho ein Naturprodukt ist, können über die individuelle Dosierung keine ganz genauen Angaben gemacht werden. Außerdem ist nach den mir vorliegenden Erfahrungsberichten für die Wirksamkeit auch weniger die exakte Dosierung als der regelmäßige Genuß wesentlich. Die gesundheitsfördernden Inhaltsstoffe von Lapacho sind überwiegend in kleinen und kleinsten Dosen vorhanden. Sie wirken vielen wissenschaftlichen Untersuchungen zufolge gerade deswegen so sanft und gut.

Wenn der Genuß größerer Mengen geplant ist, sollte gleich eine entsprechende Tagesportion zubereitet werden. Wird der Lapacho bevorzugt warm getrunken, kann er am Morgen gekocht, in eine große Thermoskanne gefüllt und portionsweise entnommen werden. Bitte daran denken: Beim Verzehr größerer Mengen sollte der Tee nicht heißer als lauwarm getrunken werden. Genauso kann Lapacho kalt getrunken werden.

Lapacho-Tee Grundrezept

Es gibt natürlich unterschiedliche Qualitäten des Lapacho Tees auf dem Markt. Deswegen sollte die folgende Mengenangabe nur als Anhaltswert verstanden werden. Letztlich ist es wichtig, daß der Tee gut schmeckt: nach Vanille und ein wenig rauchig. Schmeckt er bitter oder irgendwie unangenehm, ist die Dosierung bestimmt zu hoch. Sie kann dann einfach so weit reduziert werden, bis das Aroma gut ist.

Für 6 Bechertassen à 0,2 l (= 1,2 l) gebe man je nach Geschmack 1 bis 2 leicht gehäufte Eßlöffel (etwa 5 bis 10 Gramm) Lapacho-Tee in das sprudelnd kochende Wasser. Dann auf kleiner Stufe zugedeckt etwa 5 Minuten sprudelnd kochen lassen. Zur Seite stellen und noch 15 – 20 Minuten ziehen lassen. Den jetzt fertigen Tee durch ein feinmaschiges Sieb oder besser ein Leinentuch in das Vorratsgefäß füllen, damit die feinen Rindenteilchen von der Flüssigkeit getrennt werden. Das Getränk wird sonst leicht bitter.

Ich bereite meist gleich zwei oder drei Liter zu und stelle einen Teil kalt. Als gekühlter Durstlöscher schmeckt der Tee wunderbar. Einige Rezepte dazu folgen auf den nächsten Seiten.

Wer es süß mag, kann natürlich Honig oder braunen Zukker zugeben.

Aber bitte daran denken: Ist eine tiefgreifende gesundheitsfördernde Wirkung erwünscht, sollte nicht gesüßt werden!

Die in diesem Kapitel beschriebenen Rezepte sind so zusammengestellt, daß Süßen wegen des Aromas nicht nötig ist.

Ein Tip, um den Geschmack von Lapacho voll zur Entfaltung zu bringen: Den Tee nicht in dem Gefäß, in dem er zubereitet wurde, stehen lassen, sondern sofort, nachdem die nötige Kochzeit vorbei ist, durch ein engmaschiges Sieb oder, noch besser, durch ein Teenetz aus Stoff oder ein Leinentuch in eine Kanne umgießen. So bleiben auch kleinere Rindenstücke zurück, die ansonsten beim weiterem Verbleiben den Tee bitter und zu stark machen.

Andererseits weiß ich von einigen Lapacho-Kennern, daß das starke Aroma, das sich bei längerem Ziehenlassen entfaltet, eine interessante geschmackliche Abwechslung sein kann. Der Tee erhält eine würzige Note. Bei einigen Indianerstämmen wird der Sud deswegen grundsätzlich nicht entfernt, besonders dann, wenn der Tee zur Förderung der Verdauung nach einem fettigen, reichhaltigen Essen getrunken wird.

Also einfach ausprobieren. Übrigens schmeckt die stärkere Zubereitung mit Kandis und Vanillesahne sehr interessant und ist in jedem Fall einen Test wert.

Die Kräuterweihe – geheimnisvolles Ritual bei den Naturvölkern

Vielleicht haben Sie schon mal davon gehört, daß selbst in unserer überzivilisierten westlichen Welt manche Menschen[*], die sehr erfolgreich mit Heilpflanzen arbeiten, der Ansicht sind, daß bestimmte Gebete, die bei der Ernte und vor der Anwendung von Heilpflanzen gesprochen werden, die medizinische Wirkung enorm zu steigern und zu vertiefen vermögen.

Tatsache ist, daß die Praxis der *Kräuterweihe* oder des sogenannten *Kräutersegens* weltweit seit Menschengedenken verbreitet ist. Und was von vielen Menschen über Generatio-

---

[*]Bitte beachten Sie in diesem Zusammenhang die im Anhang in der Kommentierten Bibliographie angeführten Werke der Heilpflanzen-Experten Wolf-Dieter Storl und Mellie Uyldert.

Eine schamanische Kräuterweihe zur Steigerung der Heilkräfte von Lapacho

Suchen Sie sich einen ruhigen Ort, legen Sie einen Vorratsbeutel Lapacho, eine Kerze und Streichhölzer bereit.

Schritt 1: Halten Sie die Kerze und sprechen Sie: „Hiermit weihe ich dieses Licht in meinen Händen der göttlichen Kraft und bitte um Heilung."

Schritt 2: Nehmen Sie den Beutel mit dem Lapacho-Tee zwischen Ihre Hände und halten Sie ihn die Höhe des Herzens. Danken Sie laut oder im Geiste der Erdgöttin, die den Pflanzen Nahrung und Halt gibt, dem Himmelsgott, der das Sonnenlicht, die Luft und den Regen schenkt, die die Pflanzen gedeihen lassen. Danken Sie den Spirits* der vier Himmelsrichtungen, der Wälder, Gewässer und Gesteine und allen anderen Wesen, die zu dem Gedeihen der Heilpflanze, die Sie zwischen Ihren Händen halten, beigetragen und dafür gesorgt haben, daß sie zu Ihnen gelangen konnte. Danken Sie der Pflanze, die Ihnen einen Teil von sich geschenkt hat, damit es Ihnen besser gehen kann.

Schritt 3: Sagen Sie: „Ich bitte um den heilenden Segen der Schöpferkraft für diese Pflanze. Möge Ihre Heilkraft voll erweckt werden und jedem, der sie genießt, Heilung auf die ihm gemäße Art schenken.
(Den folgenden Teil verwenden Sie nur, wenn Sie selbst ein Leiden haben, das Sie heilen möchten.) Ich bitte darum, aus meiner Erkrankung zu lernen, was für mich wichtig ist, damit ich nicht mehr zu leiden brauche und meine Kraft zur Verwirklichung meiner neuen Erkenntnisse voll einsetzen kann. Ich danke für die Lehre."**

---

*Sammelbezeichnung für spirituelle Wesen, Helfer der Schöpferkraft, wie zum Beispiel die Engel oder die indianischen Krafttiere.
**Die schamanische Heilkunde geht davon aus, daß jede Krankheit eine wichtige Botschaft für die persönliche Entwicklung des Erkrankten beinhaltet. Öffnet der Betroffene sich für die Lehre, gelangt ein höherer Sinn in sein Leben, er wird leichter gesund werden und in mancher Hinsicht kräftiger und charakterlich reifer als vor der Erkrankung sein.

> **Schritt 4:** Warten Sie einige Minuten und spüren Sie dabei in sich hinein. Dann danken Sie und beenden die Übung, indem Sie die Kerze löschen. Der Lapacho-Tee ist nun „aktiviert".

nen hinweg angewendet wird, muß seinen guten Grund haben. Viele mir vorliegende Erfahrungsberichte und eine Reihe persönlicher Erlebnisse von großer Überzeugungskraft sprechen ebenfalls dafür. Deswegen möchte ich Ihnen erklären, wie Sie selbst den Kräutersegen anwenden können. Dazu braucht man kein ausgebildeter Schamane oder Medizinmann zu sein. Und für die Skeptiker: Was verlieren Sie schon dabei, wenn Sie es einfach ein paarmal ausprobieren, um die mögliche Wirkung selbst zu überprüfen. Probieren geht bekanntlich über Studieren!

Eine Auswahl der besten Lapacho-Rezepte

Rezept 1 – Minz-Lapacho

Wenn der Tee zum Kühlen gestellt wird, einen Zweig frische Minze oder einen leicht gehäuften Teelöffel getrocknete Minze (Nane) auf 1 bis 1,5 Liter zugeben.

Dies ist zwar eigentlich ein Rezept für kalten Tee, aber weil ich nicht so lange abwarten konnte, weiß ich, daß dieses Rezept auch warm sehr lecker ist.

Rezept 2 – Zitronen-Lapacho

Den Saft von ein bis zwei ganzen Zitronen aus Bio-Anbau zu 1 bis 1,5 Liter Tee geben.

Kann kühl bis ganz kalt als Eistee serviert werden. Wer mag, raspelt etwas von der Schale in den Tee und verziert die Becher mit einigen Streifen davon. Gesüßt werden kann (möglichst) mit braunem Zucker, Apfelkraut oder Zuckerrübensirup.

Rezept 3 – Apfel-Lapacho

Eine gute Handvoll getrockneter, vorher kleingeschnittener Apfelstückchen in den noch heißen Tee (1 bis 1,5 Liter – je nach Geschmack) zusammen mit einer Vanilleschote geben und kühl stellen. Nicht zu kalt trinken. Durch den Apfel ist der Tee bereits leicht süß und braucht deswegen auch für den Geschmack von „Süßschnäbeln" nicht unbedingt zusätzlichen Zucker oder ähnliches. Wer mag, kann dieses Rezept auch noch mit etwas Zimt variieren.

Rezept 4 – Der Erkältungskiller, eine Alternative zum Grog

Lapacho-Tee nach dem Grundrezept zubereiten, und zusätzlich pro Liter 2 Messerspitzen getrocknete Ingwerwurzel, eine Prise Cayenne-Pfeffer und den Saft einer ganzen Zitrone aus Bio-Anbau zugeben. Diese Mischung bringt in kurzer Zeit die Abwehrkräfte auf Trab und wirkt nachhaltig, wenn sie bei den ersten Anzeichen einer Erkältung warm getrunken wird.

Die meisten geraten dadurch heftig ins Schwitzen. Das ist gut zum Ausscheiden von Giften und Schlacken und zur Aktivierung des Immunsystems. Durch die leichte Temperaturerhöhung beim Schwitzen wird die Aktivität der Enzyme im Körper um mehrere 100 Prozent gesteigert. Die Enzyme sorgen dann für eine schnelle Beseitigung von Stoffen, die den Organismus an seiner normalen Funktion hindern und machen auch vielen Krankheitserregern leichter den Garaus. Es kann manchmal auch kurzzeitig Fieber auftreten, ein Zeichen dafür, wie dynamisch der Organismus gegen die Erkrankung aktiv wird.

Rezept 5 – Lapacho À la Creme, eine Spezialität für Naschkatzen (Variation I)

In den noch heißen Tee während des Ziehenlassens (siehe Grundrezept) den Inhalt einer ganzen Vanilleschote zusammen mit einem gehäuften Eßlöffel Orangeat und Zitronat, aus Bio-Anbau, und einige Gewürz-Nelken geben. Vor dem Servieren mit Schlagsahnehaube verzieren. Diese Mischung schmeckt nicht nur gut, sondern wirkt auch leicht aphrodisierend!

Rezept 6 – Lapacho À la Creme, eine Spezialität für Naschkatzen (Variation II)

Lapacho-Tee nach dem Grundrezept zubereiten. Sahne mit echter Vanille und etwas braunem Zucker schlagen. Bei Tisch pro Becher einen gehäuften Teelöffel Schlagsahne einrühren und mit etwas Zimt bestreuen.

Rezept 7 – Fruchtiger Lapacho

Lapacho-Tee nach dem Grundrezept zubereiten. Wenn das Getränk auf Trinktemperatur abgekühlt ist, ein Viertel Kirschsaft (aus Bio-Anbau) zugeben. So bleiben die wertvollen Inhaltsstoffe des Fruchtsaftes erhalten. Schmeckt warm und kalt! Wer mag, kann zusätzlich noch einen Klecks Schlagsahne obendrauf geben und mit geraspelten Mandeln oder Nüssen verzieren.

Rezept 8 – Lapacho für Kinder
Meiner Erfahrung nach mögen Kinder Lapacho-Tee besonders gern als gekühltes Erfrischungsgetränk. Er läßt sich auch gut mit Apfel- oder Orangensaft mischen.

Wenn bei einer Erkrankung höhere Gaben erforderlich sind, kann der *Inhalt* jeweils einer Lapacho-Kapsel (siehe auch Kapitel 8) in das Milchfläschchen oder den Brei gegeben und untergemischt werden.

Rezept 9 – Lapacho brasilianisch
Aus Brasilien stammt das folgende, recht ungewöhnliche Lapacho-Rezept. Ein dort lebender Arzt erfand es für seinen durch ein Krebsleiden im Sterben liegenden Bruder. Die Zubereitung soll so wirksam gewesen sein, daß der bereits von der Schulmedizin aufgegebene Patient nach einem Monat vollkommen wiederhergestellt war.

Lapacho-Tee entsprechend dem Grundrezept zubereiten. Jedoch statt Wasser trockenen Weißwein verwenden! Nach dem Abkühlen nach Geschmack mit frischem Orangensaft auffüllen. Wohl bekomm´s!

Kapitel 6

Erfahrungsberichte und Lapacho-Geschichten

In diesem Teil des Buches habe ich einige Anekdoten und Geschichten über Lapacho zusammengetragen. Sie stammen teils aus dem internationalen Daten-Highway, teils aus diversen Publikationen über Lapacho, und einige wurden mir von befreundeten Medizinern erzählt.

Diabetes

Ein erfolgreicher peruanischer Geschäftsmann, der viel auf Reisen ist, um seine diversen Niederlassungen zu betreuen, hat in jedem seiner Büros immer einen großen Beutel Lapacho. Aus Dankbarkeit für die Heilung seines Diabetes legte er den Schwur ab, immer Lapacho zur Hand zu haben, um die wunderbare Heilpflanze sofort jedem geben und empfehlen zu können, der sie braucht.

Heuschnupfen

Ein in Norddeutschland lebender Bankangestellter wurde seit acht Jahren in jedem Frühjahr von Heuschnupfen geplagt. Ein befreundeter Heilpraktiker empfahl ihm eine vierwöchige Kur mit Lapacho-Kapseln, bei der er täglich dreimal zwei Stück zu sich nehmen und zusätzlich regelmäßig Lapacho-Tee nach Bedarf trinken sollte. Die Kur wurde im Februar durchgeführt. Der Heuschnupfen trat seitdem nicht wieder auf (Beobachtungszeit drei Jahre).

Krampfadern

In einem medizinisch bestätigten Fall in Argentinien von seit 20 Jahren bestehenden geschwürigen Krampfadern gab es eine komplette und nachhaltige Ausheilung aller Symptome innerhalb von nur 16 Wochen. Die Behandlung wurde ausschließlich mittels einer Lapacho-Salbe (dazu wird Lapachoextrakt in eine neutrale Salbengrundlage eingerührt) durchgeführt.

Krebstumor auf der Kopfhaut

Ein 86 Jahre alter Brasilianer litt unter einem großen Tumor auf der Kopfhaut. Sein behandelnder Arzt wendete örtlich Kompressen mit Lapacho-Tee und -Sud an und heilte die schlimme Krankheit ohne weitere Maßnahmen vollständig aus. Eine Nachuntersuchung des Mannes im Alter von 92 Jahren ergab keinerlei Anzeichen einer Krebserkrankung.

Leukämie

Im Juli des Jahres 1967 war die erst fünf Jahre alte Marie im Conception Hospital in Sao Paulo wegen Leukämie in Behandlung. Ihre Blutwerte wurden trotz der medizinischen Behandlung immer schlechter und schlechter, bis ihr Zustand von den Ärzten der Klinik für aussichtslos erklärt wurde. Die verzweifelten Eltern fragten den Chefarzt, ob es denn gar nichts mehr gäbe, was ihrer kleinen Tochter helfen könnte. Die Antwort war enttäuschend: „In diesem Krankenhaus nicht!"

Als die Eltern gehen wollten, wurden sie aber von einem anderen Arzt, der mit dem Fall vertraut war, angesprochen. Er riet ihnen, schnellstens die Klinik von Dr. Pratz Ruiz, einem der erfahrensten Vertreter der Lapacho-Therapie, aufzusuchen. In Dr. Ruiz´ Klinik wurde Marie sofort mit Lapacho- Tee behandelt. Sie bekam täglich soviel davon, wie sie nur trinken mochte. Innerhalb von nur einem Monat hatten sich ihre „hoffnungslos schlechten" Blutwerte bereits drastisch verbessert.

Nach etwas mehr als zwei Monaten, im September, konnten die glücklichen Eltern ihre Tochter aus der Klinik mit nach Hause nehmen. Sie war mit vollkommen normalen Blutwerten als geheilt entlassen worden. Klinische Einzelheiten des Falles wurden von Professor Burgstaller in seinem interessanten Buch: „La Vuelta a Los Vegetales", Buenos Aires 1968, ausführlich beschrieben.

«Das krebskranke Mädchen, der Mönch und Lapacho»

Das brasilianische Magazin *O Cruzeiro* berichtete in den 60er Jahren über den folgenden Fall: Ein in Rio de Janeiro lebendes Mädchen war an Krebs schwer erkrankt, und die ärztlichen Therapien halfen nicht. Da begann sie sich in inständigen Gebeten an Gott zu wenden. Sie flehte immer wieder um Hilfe, um etwas, was sie heilen könnte. Eines Tages erlebte sie eine eindrucksvolle Vision, in der ein Mönch ihr versprach, der Tee von der inneren Rinde des Lapacho-Baumes würde sie heilen.

Als sie dies aufgeregt ihren Eltern mitteilte, wurde ihr nicht recht geglaubt. Vater und Mutter waren der Überzeugung, sie sei durch die schwere Erkrankung psychisch instabil geworden und hätte sich aus Enttäuschung über die erfolglosen medizinischen Behandlungen in Phantastereien geflüchtet. Doch das Mädchen bekam eine weitere Vision, in der ihr der Mönch, offenbar ein geistiger Führer, noch einmal inständig zu der Behandlung mit dem Tee riet. Jetzt nahmen die Eltern die Botschaft immerhin soweit ernst, daß sie eine Erprobung des Mittels zuließen. Der Zustand des Kindes besserte sich in der Folge zusehends, und nach wenigen Monaten war sie vollkommen genesen!

Übergewicht

Von den behandelnden Medizinern bekam Doris, eine Unternehmerin Mitte 40 aus Düsseldorf, immer wieder die gleichen niederschmetternden Auskünfte bezüglich ihres Übergewichtes von fast 30 kg: Ihr Stoffwechsel sei einfach zu träge, deswegen würde sie so leicht zunehmen und Diäten könnten da eben nur zeitweise ein wenig „Erleichterung" bringen.

Ein Heilpraktiker fand heraus, daß wahrscheinlich eine längere Behandlung mit Antibiotika in ihrer Jugend zu der chronischen Unterfunktion ihres Stoffwechsels geführt hatte. Sie wurde mit verschiedenen naturheilkundlichen Methoden therapiert, nachdem die Schulmediziner, die sie um Rat gefragt hatte, nicht mehr weiter wußten. Zwar brachten die neuen Therapien ihre ständige Gewichtszunahme langsam zum Stillstand, aber von Abnehmen konnte keine Rede sein. Dies war für Doris nicht nur eine persönliche Schwierigkeit. Denn sie leitete einen Betrieb, der hochwertige kosmetische Produkte herstellte und da war es für sie natürlich auch wichtig, beruflich repräsentativ auftreten zu können.

Die resolute Frau gab die Suche nach einer Lösung ihres Problems aber nicht auf. Und so erfuhr sie von einem Freund, den sie auf einer Messe traf, von Lapacho-Tee. Er sagte, er hätte ihn in den USA als umfassenden Stoffwechselsanierer kennen und schätzen gelernt. Ihm war nicht bekannt, ob diese Heilpflanze schon jemals für eine Schlankheitskur mit Erfolg verwendet worden war, aber da ihr Übergewicht ja aus einem Stoffwechselproblem herrühre, wäre es wohl einen Versuch wert. Zumal der Tee erwiesenermaßen völlig unschädlich sei und sehr gut schmecke.

Doris machte Lapacho zu ihrem Haustee. Auch auf Reisen führte sie ihn mit sich. Schon nach wenigen Wochen begann sie an Gewicht zu verlieren, obwohl sie keine besondere Diät einhielt. Ihr Appetit war einfach geringer geworden, und sie fühlte sich so vital und lebensfroh wie schon lange nicht mehr. Hatte sie sich vorher nach der Arbeit regelrecht zusammenreißen müssen, um noch Freunde zu besuchen oder mal mit ihrem Partner auszugehen, so freute sie sich jetzt geradezu darauf und konnte auch mal länger aufbleiben, ohne daß ihr vor Müdigkeit die Augen zufielen. Ihr Mann bemerkte die erstaunliche Veränderung ebenfalls mit großer Freude. Seine Frau wurde immer attraktiver, und sie konnten wieder etwas zusammen unternehmen. Nach etwa zwei Jahren hatte sie ihr Normalgewicht erreicht. Seitdem sind fast eineinhalb Jahre vergangen, und sie hat ihre Figur bisher problemlos gehalten. Lapacho trinkt sie immer noch gerne und regelmäßig, wenn auch in geringeren Mengen. Doch zwei bis drei Tassen täglich sind es fast immer. Er tut ihr einfach gut, sagt sie.

Unterleibskrebs

Von Dr. Pratz Ruiz wird auch der folgende Fall berichtet: Auf der Zuckerplantage La Corona lebte eine Frau, die schwer an Unterleibsgeschwülsten erkrankt war. Sie hatte so schreckliche Schmerzen, daß Freunde sie daran hindern mußten, sich vor den Zug zu werfen, der regelmäßig auf der nahegelegenen Bahnlinie vorbeifuhr. Ihr wurde Lapacho-Tee verordnet, den sie in großen Mengen zu sich nahm. Nach 10 Tagen waren nicht nur die ständigen Blutungen gänzlich verschwunden, auch ihre Schmerzen waren wie weggeblasen. Ihr behandelnder Arzt erklärte sie nach einer gründlichen Untersuchung, bei der nichts mehr festzustellen war, für geheilt.

Verstopfung

Eine US-Amerikanerin mittleren Alters litt seit Jahren an hartnäckiger Verstopfung. Welche Mittel sie auch einsetzte – nichts schlug an. Es war so schlimm, daß sie mit der Zeit Schwierigkeiten hatte, ihrer Arbeit nachzugehen. Als ein Bekannter ihr eine Lapacho-Kur empfahl, reagierte sie recht skeptisch, ließ sich dann aber doch davon überzeugen, den Tee wenigstens einmal zu probieren. Sie bereitete ihn morgens zu und nahm ihn mit zur Arbeit. Wann immer sie durstig war, trank sie davon. Nach wenigen Tagen hatte sich ihre Verdauung vollständig normalisiert und sie fühlte sich wohl wie nie.

Kapitel 7

Mehr Wohlbefinden mit Lapacho-Tee von A – Z

Seit vielen Jahrhunderten setzen die naturverbunden lebenden Indianer weiter Bereiche Südamerikas Lapacho allgemein zur Stärkung des Immunsystems, zur Bekämpfung von Parasiten im Körper, gegen Krebs, Diabetes und allgemein zur Entgiftung und Entschlackung ein. Die wissenschaftliche Forschung und die Erfahrungen von vielen naturheilkundlich arbeitenden Medizinern rund um die Welt haben gezeigt, daß Lapacho natürliche, direkt und indirekt antibakteriell, antiviral und antimykotisch wirkende Substanzen enthält, allgemein einen heilenden Effekt auf den gesamten Körper ausübt, das Blut gründlich reinigt und in der Lage ist, viele Parasiten zu vertreiben. Es ist dabei wichtig zu wissen, daß Lapacho nicht nur selbst gegen Krankheitserreger, Gifte und Schlacken wirkt, sondern bei regelmäßiger Anwendung auch die Fähigkeiten des Körpers trainiert, diese Funktionen selbst wieder wesentlich besser wahrzunehmen.

Ein grippaler Infekt beispielsweise läßt sich nicht nur wunderbar mit Lapacho ausheilen, der Körper entwickelt in der Folge eine größere Widerstandskraft gegen eine derartige Erkrankung.

In der nachstehenden Auflistung habe ich eine Reihe von Erkrankungen zusammengestellt, bei denen sich Lapacho bisher als wirksam erwiesen hat. Außerdem sind zu jedem Punkt einige Tips zur Behandlung genannt. Bitte verstehen Sie die folgenden Angaben nicht als Heilungsversprechen oder als Aufforderung zur Selbstbehandlung von Erkrankungen, die fachlicher medizinischer Versorgung bedürfen, und sprechen Sie den Einsatz der angegebenen Mittel mit Ihrem behandelnden Mediziner eingehend durch.

AIDS

Mehrmals täglich einige Lapacho-Kapseln einnehmen und langfristig täglich größere Mengen Lapacho-Tee trinken. Leider ist eine genauere allgemeine Dosierungsanweisung in diesem Fall nicht möglich. Ein Mediziner sollte die Dosis und verschiedene Anwendungsweisen (siehe unten) individuell festsetzen und jeweils der Veränderung des Krankheitsbildes anpassen. Ein erfahrener Homöopath kann in diesem Fall auch homöopathische Potenzen von Lapacho zur Anwendung bringen. Diese müssen aber von Hand hergestellt werden. Meines Wissens gibt es in Europa (noch) keinen industriellen Lieferanten dafür.

Die Lapacho-Kur baut das Immunsystem im Ganzen auf, die bei HIV-Infizierten häufig vorkommenden Sekundärinfektionen, beispielsweise durch Pilze, werden von seinen Wirkstoffen bekämpft, der Körper wird insgesamt gekräftigt, und Tumorzellen werden aufgelöst, beziehungsweise deren Neubildung erschwert.

Lapacho stärkt die inneren Organe. Dies ist insbesondere deswegen wichtig, weil die schulmedizinische Standardbehandlung zum Beispiel mit dem Medikament AZT schlimme Nebenwirkungen unter anderem auf die Leber ausübt. Gerade dieses Organ wird von den Wirkstoffen der Lapachopflanze aber besonders günstig beeinflußt. Bei dem Auftreten von Hautkrebs sollten zusätzlich unbedingt Lapacho-Kompressen und Lapacho-Vollbäder zur Anwendung kommen.

Es empfiehlt sich, zusätzlich täglich *Catuaba-Tee zu trinken*. Diese Heilpflanze hebt die Stimmung, baut die Nervenkraft auf und hat nach den in Kapitel 10 angeführten klinischen Forschungsergebnissen eine günstige Wirkung bei der AIDS-Behandlung. Die Zellen werden in gewissem Sinne gegen das Eindringen von AIDS-Viren immunisiert. Außerdem wirkt Catuaba-Tee magenstärkend. Dies ist bedeutsam, weil die in der Schulmedizin zur AIDS-Therapie eingesetzten Standardmedikamente, wie AZT, den Magen sehr belasten und unter anderem zeitweise starke Übelkeit hervorrufen. Catuaba-Tee kann diese Körper und Psyche belastenden Nebenwirkungen in vielen Fällen deutlich mindern.

Die Anwendung und Dosierung der beiden Heilpflanzen sollte selbstverständlich von einem naturheilkundlich geschulten Arzt festgesetzt und kontrolliert werden. AIDS ist eine sehr schwere Erkrankung. Deswegen verbietet sich eine Selbstbehandlung. Lapacho und Catuaba sind keine Wundermittel gegen AIDS, aber viele Erfahrungsberichte und einige wissenschaftliche Studien geben deutliche Hinweise darauf, daß die beiden Heilpflanzen diese schreckliche Erkrankung zumindest in ihrem Verlauf günstig zu beeinflussen vermögen.

Allergien aller Art

Vier bis sechs Wochen kann täglich bis zu 1,5 Litern Lapacho-Tee kurmäßig genossen werden. In schwereren Fällen lassen sich zusätzlich Lapacho-Kapseln (siehe unter Bezugsquellen auf S. 137), anwenden. Eine Kapsel enthält dabei die konzentrierten Wirkstoffe von etwa einem Liter Tee. Je nach individuellem Bedarf zwei- bis viermal täglich ein bis zwei Kapseln einnehmen. Nicht vergessen, vor allem bei ernsteren Symptomen, die Kur mit dem behandelnden Mediziner genau abzusprechen.

Alkoholabhängigkeit und Folgen von Alkoholmißbrauch

Lapacho-Tee sollte über mindestens vier bis sechs Monate zur Entgiftung und Normalisierung des Stoffwechsel getrunken werden. In den ersten drei Wochen bis zu 1,5 Litern täglich bei Erwachsenen, danach etwa 0,75 bis einen Liter täglich. Ein- bis dreimal wöchentlich Wannenbäder, denen etwa drei bis vier Liter Lapacho-Tee, zubereitet nach dem Grundrezept, zugesetzt werden. Jeweils ungefähr eine halbe Stunde baden. Siehe auch unter Kapitel 8 – Anwendungen mit Lapacho, Das Lapacho-Bad.

Zusätzlich können *Gingko Biloba*, *Ginseng** und *Ingwer* sehr hilfreich sein. Bei schweren Fällen kann statt dem Lapacho-Tee auch konzentrierter Lapacho-Extrakt in Kapsel-

---

* Nicht bei Bluthochdruck verwenden!

form verwendet werden. Die Anwendungsweise und Dosierung in diesem Fall bitte mit dem behandelnden Arzt, Heilpraktiker oder Apotheker absprechen. Die Präparate aus den genannten Pflanzen sind rezeptfrei erhältlich. Durch die Lapacho-Kur wird der Organismus gründlich gereinigt und regeneriert. Häufig stellt sich im Laufe der Kur bald eine deutliche Abneigung gegen Genußgifte wie Alkohol und Tabak ein. Sogar Appetit auf Zucker wird häufig wesentlich reduziert oder verschwindet ganz, weil der Zuckerstoffwechsel normalisiert wird. Wer dann nicht aus reiner Gewohnheit wieder zu den Genußgiften greift, bleibt gesund. Zusätzliche wichtige Hilfen psychologischer Art können und sollten (!) unter anderem bei Organisationen wie den Anonymen Alkoholikern gefunden werden, die schon unschätzbare Hilfen an Suchtkranke gegeben haben. Ebenso gibt es speziell ausgebildete Suchttherapeuten.

Mit Lapacho läßt sich keine Alkoholentwöhnung im engeren Sinne durchführen. Aber der „Göttliche Baum" normalisiert und reinigt kraftvoll den Stoffwechsel, besonders die Zuckerverwertung und kann deswegen sehr hilfreich bei dieser wie bei jeder anderen Suchttherapie sein.

Amalgamausleitung

Eine Kur mit Lapacho-Tee über ein Vierteljahr oder so lange, bis durch geeignete Meßmethoden wie Pendel, Angewandte Kinesiologie oder Bioresonanzgeräte keine Belastung mehr nachweisbar ist. Die Kur kann ein- bis zweimal pro Woche durch ein Lapacho-Bad und durch ein- bis dreimal täglich erfolgende Mundspülungen mit Lapacho-Tee ergänzt werden. Die Flüssigkeit wird bei dieser Art der Anwendung in kleiner Menge – ein bis zwei Eßlöffel voll – in den Mund genommen und mehrere Minuten wie bei der bekannten Ölziehkur durch die Zähne gezogen. Den zur Mundspülung verwendeten Tee auf keinen Fall schlucken!

Anämie (Blutarmut)

Durch seine Eigenschaften, das Blut allgemein zu verbessern, die Produktion von roten Blutkörperchen kräftig anzukurbeln und das viele in ihm enthaltene und vom Organismus gut verwertbare Eisen ist Lapacho geradezu prädestiniert zur Behandlung von Anämie. Oft entsteht Anämie durch langfristige Ernährungsfehler, zum Beispiel bei Vegetariern, die sich nicht ausreichend um zusätzliche Eisen- und Vitamin-B 12-Zufuhr kümmern. Eine andere Ursache liegt in chronischen Entzündungen, die zu Eisenmangel und einer Verschlechterung der vitalen Funktionen des Blutes führen. Im ersteren Fall muß natürlich die Ernährung den Bedürfnissen des Körpers angepaßt werden. Zur Abklärung des zweiten Falles sollte unbedingt ein naturheilkundlich tätiger Mediziner eine Untersuchung auf sogenannte Herderkrankungen durchführen. Lapacho enthält eine ganze Reihe hochwirksamer Substanzen, die zur Therapie von Entzündungen geeignet sind. Deswegen läßt er sich auch hier zur Heilung der Ursachen einsetzen.

Arteriosklerose (Arterienverkalkung)

Lapacho-Tee entgiftet und entschlackt den Körper gründlich. Dadurch werden die mit Ablagerungen verstopften Adern mit der Zeit gereinigt. Außerdem werden durch Lapacho häufige Ursachen der Arteriosklerose wie Diabetes, chronische Entzündungen und Stoffwechselprobleme aller Art direkt und indirekt günstig beeinflußt. Wer Eltern mit Arteriosklerose hat, selbst aber (noch) nicht unter entsprechenden Symptomen leidet, tut gut daran, Lapacho als Haustee zu verwenden und ein- bis dreimal im Jahr eine Kur mit dem Tee zu machen. Weiterhin sollte von einem Ernährungsspezialisten eine individuelle Diät zusammengestellt werden.

Arthritis

Kur mit Lapacho-Tee bis zum Verschwinden der Symptome. Danach sollte Lapacho als Haustee verwendet werden und zwei- bis viermal im Jahr eine sechswöchige Tee-Kur erfolgen. Zusätzlich täglich Lapachowickel um die betroffenen Gelenke und ergänzend nach Bedarf ein- bis dreimal pro Woche Lapacho-Vollbäder.

Augen, müde, entzündet oder gereizt
Wer viel am Bildschirm arbeitet, kennt das: Gereizte, überanstrengte Augen, die noch lange nach der Arbeit jucken und brennen. Hier können mit Lapacho-Tee angefeuchtete Kompressen, zum Beispiel Wattepads, die 5 bis 10 Minuten auf die Augen gelegt werden, oft wahre Wunder vollbringen. In Apotheken und Sanitätsfachgeschäften sind auch kleine Gläser für Augenspülungen erhältlich.

Ein Tip: Es gibt entspiegelte und geerdete Bildschirmfilter diverser Fabrikate zu erschwinglichen Preisen im Fachhandel. Wer regelmäßig am Bildschirm arbeitet, sollte sich so etwas Schönes gönnen. (Man gönnt sich ja sonst nichts?!) Außerdem können ergänzend bei hoher Sensibilität in Bezug auf feinstoffliche Störfelder Bildschirmentstrahlungsgeräte zum Beispiel von den Firmen Rayonex oder Richard Weigerstorfer eingesetzt werden.

Ausfluß, vaginaler
Eine sechswöchige Lapacho-Trinkkur und tägliche Scheidenspülungen mit körperwarmem Tee. Ergänzend oder statt dessen können auch Tampons, die mit Lapacho-Tee getränkt worden sind, verwendet werden. Die Tampons zwei- bis dreimal täglich wechseln. Ausfluß kann durch Pilzinfektionen, chronische Entzündungen oder Parasiten entstehen. Grundlage dieser Probleme ist ein im gesamten Körper entgleister Stoffwechsel. Deswegen sollte Lapacho immer auch innerlich langfristig angewendet werden.

Hilfreich sind zur direkten heilenden Beeinflussung des Stoffwechsel in der Beckenregion auch warme Lapacho-Kompressen, die wechselweise großflächig auf den Unterbauch und das Kreuzbein aufgelegt werden. Wenn Candida-Pilze die Ursache der Symptome sind, bringt die örtliche Anwendung nur sekundären Nutzen, hier liegt der Schwerpunkt auf der Lapacho-Trinkkur. Bei anderen Pilzen kann die örtliche Anwendung oft, wie einige Erfahrungsberichte belegen, binnen weniger Stunden die Symptome kurieren.

Blutungen

Sofort zwei bis vier Lapacho-Kapseln, am besten auf nüchternen Magen einnehmen, oder größere Mengen Tee trinken. Eventuell nach einigen Stunden wiederholen, wenn nötig. Bei äußeren Blutungen zusätzlich etwa einen Viertelliter starken Lapacho-Tee zubereiten (doppelte Menge des Tee-Grundrezeptes) und damit eine heiße Kompresse aus sterilem Verbandmaterial anfertigen, die auf die Wunde gelegt wird. Die Kompresse mit einem Baumwolltuch abdecken.

Lapacho wird seit Jahrhunderten von südamerikanischen Indianern innerlich und äußerlich zur Wundbehandlung verwendet, da er Infektionen vorbeugt und die Wundheilung verbessert. Zur Wundbehandlung den Tee immer frisch zubereiten. Aufpassen! Sind größere Blutgefäße verletzt, muß unbedingt schnellstens ein Arzt gerufen und es müssen Erste-Hilfe-Maßnahmen ergriffen werden, um die Blutung zu stoppen.

Auch wenn kleine Blutgefäße verletzt sind, gilt: Hört die Blutung trotz Lapachobehandlung und korrekter Erste-Hilfe-Versorgung nicht innerhalb einer Viertelstunde auf, muß ein Arzt gerufen werden, der über die weitere Behandlung entscheidet. Es kann nämlich zum Beispiel sein, daß außer der Blutung auch noch ein wesentlich zu hoher Blutdruck vorliegt, weswegen die Blutung durch die normale Blutgerinnung nicht unterbunden werden kann.

Blutverbesserung

Zur Verbesserung der vitalen Eigenschaften des Blutes und zur Normalisierung des Blutbildes insgesamt eignet sich Lapacho-Tee hervorragend, da er den Organismus gründlich reinigt und Entzündungen günstig beeinflußt. Die Lapacho-Tee Trinkkur bis zur Normalisierung der Werte und dem Verschwinden der subjektiven Beschwerden durchführen.

Der Tee des Göttlichen Baumes läßt sich natürlich auch im Rahmen einer Frühjahrskur zur allgemeinen Entschlackung wunderbar anwenden.

Bronchitis

Lapacho-Tee bis zur Ausheilung trinken und mehrmals täglich den Dampf von heißem Lapacho-Tee unter einem Tuch inhalieren. Bei starker Anfälligkeit in Bezug auf Erkältungen Lapacho langfristig als Haustee verwenden und drei bis vier Mal im Jahr eine Lapacho-Kur durchführen.

Brüche (z. B. Leistenbruch)

Zur Beschleunigung der Heilung eine Trinkkur mit Lapacho-Tee durchführen und auf die betroffene Körperstelle Wickel mit Lapacho-Sud täglich auflegen.

Candida-Pilze

Lapacho-Tee entfaltet eine starke direkte Heilwirkung gegenüber einigen Pilzarten, die dem menschlichen Körper großen Schaden zufügen können – jedoch ist der Tee der Lapachopflanze, wie viele Laborversuche eindeutig belegen, *unwirksam* bei der *direkten* Anwendung gegenüber Candida-Pilzen. „Schade", werden Sie jetzt sicher denken. Aber keine Sorge – es war die ganze Zeit nur die Rede von *direkter* Anwendung. Denn in Südamerika wird Lapacho seit Jahrhunderten sehr erfolgreich gegen Candida-Erkrankungen eingesetzt.

Auch in den USA und Kanada gibt es Hunderttausende von sehr positiven Erfahrungsberichten bezüglich der Therapie der heimtückischen Pilzerkrankung mittels Lapacho. „Wie ist das möglich?" fragen Sie sich. Nun, Lapacho sorgt dafür, daß der gesamte Körper gründlich entgiftet und entschlackt wird, dadurch funktioniert das Immunsystem viel besser. Einige seiner Inhaltsstoffe wirken so auf das Abwehrsystem ein, das die Produktion von Immunzellen, die die Pilzsporen attackieren, drastisch erhöht wird.

Darüber hinaus wird der Zuckerstoffwechsel normalisiert. Ein entgleister Zuckerstoffwechsel ist eine Einladung für Candida! Außerdem werden Leber, Nieren und Milz gestärkt, und Lapacho sorgt für eine wesentlich verbesserte Sauerstoffversorgung des Körpers. Das mögen die Pilze gar nicht. Lapacho-Tee ist den mir vorliegenden Informationen nach eines der wirksamsten Heilmittel gegenüber Candida und anderen Pilzerkrankungen, die es gibt. Versuchen Sie es!*

Chemikalien, Überempfindlichkeit gegen

In den letzten Jahren gibt es weltweit immer mehr Menschen, die bereits unter geringen Mengen von Chemikalien auf verschiedenste Weise leiden. Sie erleben Symptome von Allergie, Abgeschlagenheit, diffuses Unwohlsein und anderes. Wohlgemerkt: Es ist hier nicht die Rede von Vergiftungen durch Chemikalien! Es geht um Substanzen und Mengen, die unempfindlichen Mitbürgern durch nichts auffallen. Die *Chemikalienübersensibilität* wird in den USA erfolgreich mit Lapacho behandelt. Regelmäßige Trinkkuren versprechen hierbei die besten Resultate. Die Wirkung läßt sich wie üblich mit der Einnahme von Lapacho-Kapseln steigern.

Colitis Ulcerosa

Langfristige Trinkkuren mit Lapacho-Tee, zusätzlich Lapacho-Kapseln und Einläufe mit Tee helfen bei dieser entzündlichen Darmerkrankung. Unbedingt die Behandlung im Detail mit dem zuständigen Mediziner abstimmen, bevor irgend etwas unternommen wird, und von ihm ständig den Verlauf kontrollieren lassen!

Diabetes

Trinkkuren mit Lapacho-Tee langfristig unbedingt auch über das Verschwinden der Symptome hinaus. Ein- bis zweimal wöchentlich Lapachobäder. Je nach Stärke der Symptome können in den ersten Monaten auch Lapacho-Kapseln ein-

---

*Außerdem empfehle ich die Lektüre des ausgezeichneten Buches "Biotop Mensch", verfaßt von dem erfahrenen Heilpraktiker Gunther W. Schneider, erschienen im Selbstverlag. Hier wird auf sehr gut auch für Laien verständliche Weise der Stoffwechsel erklärt, wie es durch falsche Lebensführung zur Verschlackung desselben und damit zur Entstehung des Nährbodens für chronische Erkrankungen aller Art kommen kann. Besonders wird auch auf Pilzerkrankungen eingegangen. Naturheilkundliche Therapien und für jeden anwendbare Tips für eine gesunde Lebensführung runden das Werk sinnvoll ab. Unbedingt lesenswert.

gesetzt werden. Vor dem Beginn der Behandlung mit Lapacho unbedingt den zuständigen Mediziner informieren, da durch die häufig sehr rasche Normalisierung des Stoffwechsels eine ständige Anpassung der Insulingaben erfolgen muß. Auf keinen Fall im Alleingang handeln, da ohne fachliche Hilfe ernste Konsequenzen entstehen können!

Sind bereits Spätschäden wie schwere Durchblutungsstörungen, Entzündungen und dergleichen vorhanden, sollte Lapacho auch äußerlich intensiv angewendet werden.

Der Einsatz von Lapacho lohnt sich nach vielen Erfahrungsberichten aus Brasilien auch bei jugendlichem Diabetes!

Eiterungen

Bei chronischen Eiterungen eine sechswöchige Trinkkur mit Lapacho-Tee, bei schweren Fällen ergänzt durch Lapacho-Kapseln. Örtlich: Lapacho-Kompressen. Außerdem mehrmals pro Woche Ganz- oder Teilbäder mit Lapacho, je nach Art und Umfang der Erkrankung. Ist es ein akutes Geschehen, liegt der Schwerpunkt auf örtlicher Behandlung und dem Trinken größerer Mengen von Lapacho-Tee bis zur kompletten Abheilung. In sehr akuten Fällen sollten zusätzlich Lapacho-Kapseln wegen der stärkeren Wirkung zur Anwendung kommen. Bei Furunkulose sollten mehrmals pro Woche Lapacho-Vollbäder zusätzlich verabreicht werden.

Ekzeme

Behandlung wie unter chronische Eiterungen beschrieben. Ekzeme weisen auf eine starke Verschlackung des Stoffwechsels, chronische Störungen der Verdauung und zu geringe Leber-, Nieren- und Milzfunktion hin.

Entzündungen

Behandlung wie unter dem Stichwort „Eiterungen" beschrieben.

Erkältungen

Bei den ersten Anzeichen einer Erkältung sollte bereits Lapacho eingesetzt werden. Trinken Sie entweder vier Tage hintereinander je 1 bis 1,5 Liter Lapacho-Tee oder besorgen Sie sich in der Apotheke Lapacho-Kapseln, die einen Extrakt der Rinde enthalten. Die Wirkung einer Kapsel entspricht der von einem Liter Tee! Anwendung: Am ersten Tag zwei Kapseln und sechs Stunden später noch mal zwei nehmen. Dies drei Tage wiederholen. Das Immunsystem wird dadurch auf natürliche Weise so sehr gestärkt, daß es die Erkältung gar nicht erst im Organismus Fuß fassen läßt. Das Schöne ist: Lapacho verbessert nicht nur die Abwehrfunktionen, er trainiert auch ihre Fähigkeit, mit den jeweiligen Erregern fertig zu werden! Aber aufpassen: Wenn man die Lapacho-Grippekur nicht drei Tage durchhält, kommt die Erkältung in vielen Fällen wieder; auch, wenn sie schon ausgeheilt zu sein schien!

Also nicht wegen der schnellen Erfolge leichtsinnig werden. Viel trinken ist ebenso sinnvoll.

Ergänzend kann mit Lapacho ein Grippebad zubereitet werden. Einfach etwa drei Liter Tee in das Badewasser geben und jeden Tag bis zum Ende der Lapacho-Grippekur etwa 30 Minuten baden.

Übrigens: Je mehr Sie sich naturheilkundlich behandeln, desto seltener werden Sie Erkältungen bekommen! Denn Erkältungen sind unter anderem eine Art Notentschlackung für den geplagten Stoffwechsel.

Fisteln

Trinkkur mit Lapacho-Tee, eventuell verstärkt durch Lapacho-Kapseln und örtliche Anwendungen bis zur Ausheilung.

Gastritis

Lapacho-Tee in größeren Mengen trinken. Bei schwereren Fällen können auch Lapacho-Kapseln im Abstand von zwei bis drei Stunden zusätzlich eingenommen werden.

Gelenkentzündungen

Kompressen mit Lapacho-Tee. Einige Tage den Tee in größeren Mengen trinken. Bei chronischen Gelenkentzündungen siehe unter dem Stichwort „Arthritis".

Geschwüre aller Art
Behandlung wie unter dem Stichwort „Eiterungen" beschrieben.

Gesichtskrebs
Kompressen mit starkem Lapacho-Tee oder Lapacho-Tinktur. Ansonsten siehe unter dem Stichwort „Krebs".

Hodgkin-Krankheit (Lymphogranulomatose)
Innere Anwendungen mit viel Tee und ergänzend Kapseln. Wichtig: Regelmäßig Lapacho-Vollbäder und täglich Lapacho-Wickel auf die betroffenen Lymphknoten.

Krampfadern
Wickel mit Lapacho-Tee, gerade bei akuten Beschwerden, und mehrmals pro Jahr eine sechswöchige Trinkkur.

Krebs, alle Arten
Bis zur Ausheilung täglich mehrmals mehrere Lapacho-Kapseln einnehmen. Zusätzlich nach Appetit den Tee kurmäßig trinken. Bei Hautkrebs ist auch die äußerliche Anwendung in Form von Bädern und Kompressen zu empfehlen. Lapacho kann sich sehr nützlich machen, wenn Bestrahlung oder Chemotherapien angewendet werden. In manchen Fällen lassen sich diese harten Therapien nicht vermeiden. Man kann aber mit Lapacho die teilweise heftigen Nebenwirkungen dieser Behandlungsweisen oft wirksam harmonisieren. Leber, Darmflora, Nieren und das gesamte körpereigene Abwehrsystem werden von der südamerikanischen Heilpflanze gestärkt und überstehen so die schulmedizinischen Behandlungen besser. Die bei vielen Krebsarten auftretenden starken Schmerzen werden, Erfahrungsberichten zufolge, von Lapacho häufig wirksam gemindert oder sogar zum Verschwinden gebracht.

Zusätzlich kann *Catuaba* eingesetzt werden, da er magenstärkend und stimmungsaufhellend wirkt. Gerade bei längeren Bestrahlungen und Chemotherapien ist diese Eigenschaft Gold wert.

Es ist wichtig, Krebserkrankungen so früh wie möglich zu behandeln. Deswegen empfiehlt es sich, die Angebote der Vorsorgeuntersuchungen wahrzunehmen. Dabei werden zwar Krebserkrankungen erst ab einer bestimmten Größe erfaßt, aber trotzdem in den meisten Fällen lange bevor es deutliche Symptome gibt, die der Betreffende bemerkt. Verschiedene naturheilkundliche Diagnosemethoden sind geeignet, bereits die Anlage einer Krebserkrankung (Präkanzerose) vor ihrer klinischen Feststellbarkeit nachzuweisen. Es finden praktisch immer typische Stoffwechselentgleisungen mitunter viele Jahre vor dem Auftreten schulmedizinisch diagnostizierbarer Krankheitserscheinungen statt. Wenn bereits in diesem, im großen und ganzen beschwerdefreien Bereich eine den Stoffwechsel insgesamt normalisierende naturheilkundliche Therapie zur Anwendung kommt, lassen sich meist Operationen, Bestrahlungen und Chemotherapien vermeiden. Tumore entstehen erst gar nicht. Dies ist sicherlich die eleganteste und sicherste Art der Krebsbehandlung nach der Devise: „Vorbeugen ist besser als Heilen!" Auch der Laie kann einiges tun, um eine eventuelle Krebserkrankung frühzeitig zu entdecken.

Die sieben Anzeichen, die eine Frühwarnung vor Krebs sein *können* ...
1. In der Brust oder an anderen Stellen des Körpers treten Verdickungen oder Knoten auf.
2. Veränderungen an Muttermalen oder Warzen werden sichtbar.
3. Gibt es andauernde, deutliche Veränderungen beim Wasserlassen oder der Darmentleerung? Treten dabei Schmerzen auf? Ist Blut in den Ausscheidungen zu erkennen! Muß die Toilette wesentlich häufiger oder in viel größeren zeitlichen Abständen aufgesucht werden als sonst?
4. Es treten anhaltende Probleme beim Schlucken oder bei der Verdauung auf.
5. Ausfluß und Blutungen unüblicher Art.
6. Heiserkeit und Husten, die nicht verschwinden wollen.

7. Wunden brauchen länger als üblich, um zu verheilen, entzünden sich immer wieder leicht oder es bleiben wunde Stellen.

Bitte machen Sie sich aber nicht verrückt, wenn Sie etwas von den geschilderten Symptomen bei sich entdecken. Es gibt außer Krebs sehr viele andere harmlose Gründe dafür. Lassen Sie sich von einem ganzheitlich arbeitenden Mediziner gründlich untersuchen, dann wissen Sie genau, was los ist.

Lapacho kann gerade bei der Behandlung von Stoffwechselentgleisungen eine wunderbare Hilfe sein und ist deswegen nach den mir vorliegenden Informationen, ausgezeichnet zum Einsatz in der *Präkanzerose-Therapie* geeignet. Während der Behandlung von Krebserkrankungen gleich welcher Art, sollten Zucker und Weißmehl generell aus der Diät gestrichen werden. Sie „füttern die Krebszellen". Die Naturheilkunde baut die Krebstherapie im Gegensatz zur Schulmedizin nicht allein symptomatisch auf, sondern geht davon aus, daß ...
1. Die Tumorzellen zerstört werden müssen.
2. Das körpereigene Immunsystem umfassend aufgebaut und dauerhaft auf hohem Niveau funktionsfähig gehalten werden muß.
3. Das Milieu im Organismus in Richtung „Gesundheit" verändert werden muß. Dazu werden Gifte und Schlacken ausgeleitet und die Lebensumstände so umgestellt, daß einer erneuten Blockierung des Stoffwechsels, zum Beispiel durch falsche Ernährung, entgegengesteuert wird.
4. Die Psyche harmonisiert und auf ein überwiegend freudvolles, mit Sinn und Liebe erfülltes, eigenverantwortliches Leben hin ausgerichtet wird. (Siehe dazu auch meine Tips zum Mentaltraining im letzten Kapitel!)

Lapacho-Tee kann die ersten drei Punkte direkt abdecken und so effektiv jedwede Krebstherapie unterstützen. Der vierte Punkt kann durch Medikamente zwar begünstigt, aber nicht entscheidend verändert werden. Nur das Verständnis des Betroffenen für die Harmonisierung seiner Lebensweise und inneren Einstellung sowie die konsequente Umsetzung der Entscheidung für ein positives, erfülltes Leben können hier nachhaltig helfen. Hilfreich kann bei diesem Thema noch Catuaba sein.

Lähmungen der Augenlider

Trinkkuren mit Lapacho-Tee, Kompressen auf und um die Augen. Abklärung psychischer Ursachen.

Leberleiden verschiedenster Art

Da Lapacho allgemein die Entgiftung und Entschlackung unterstützt sowie Infektionen und Pilze im Körper bekämpft, ist er sehr gut zur Entlastung des Leberstoffwechsel und zur Regenerierung dieses Organs geeignet. Nach Empfehlung des Mediziners Lapacho-Kapseln oder -Tee bis zur Ausheilung verwenden. Auch Leberwickel mit Lapacho können sehr hilfreich sein.

Leukämie (Blutkrebs)

So frühzeitig wie möglich mit der Lapacho-Kur, am besten mit Tee und Kapseln beginnen. Ansonsten siehe unter Krebs.

Lupus

Trinkkuren mit Lapacho-Tee, ergänzend Lapacho-Kapseln. Äußerlich Lapacho-Kompressen auf die betroffenen Stellen legen. Wenn bereits längere Zeit mit Kortison behandelt worden ist, sollten die Lapacho-Kapseln langfristig eingesetzt werden.

Milzinfektionen

Über längere Zeit Lapacho-Tee trinken oder bei schwereren Fällen ergänzend Lapacho in Kapselform einnehmen. Lapacho-Kompressen auf die Milzgegend.

Multiple Sklerose

Durch seine entzündungshemmende und stoffwechselnormalisierende Wirkung beeinflußt Lapacho-Tee günstig diese ansonsten schwierig zu behandelnde Erkrankung. Langfristige Lapachokuren, Lapacho als Haustee und auch in Kapselform verwenden. Ein- bis zweimal die Woche ein Lapacho-Vollbad ist empfehlenswert.

Mund, Erkrankungen aller Art
Gibt es gesundheitliche Probleme im Mund und Rachenraum, kann mit Lapacho-Tee gegurgelt und gespült werden. Den Tee dann nicht schlucken.

Nase, Erkrankungen aller Art
Neben dem Einatmen der Dämpfe des Lapacho-Tees kann die körperwarme Flüssigkeit auch mehrmals hintereinander in die Nase gezogen und ausgeblasen werden.

Nierenentzündung
Bis zur Ausheilung größere Mengen Lapacho-Tee trinken. Eventuell mit Lapacho-Kapseln ergänzen. Eine umfangreiche Flüssigkeitszufuhr wirkt sich günstig auf Infektionen der Nieren und harnleitenden Organe aus. Deswegen ist hier der Tee gegenüber anderen Anwendungen zu bevorzugen. Natürlich können in schwereren Fällen ergänzend Kapseln verwendet werden.

Osteomyelitis
Trinkkur mit Lapacho-Tee bis zur Ausheilung. Unbedingt zusätzlich Lapacho-Kapseln anwenden und täglich Wickel mit starkem Lapacho-Tee an den betroffenen Körperstellen auflegen.

Parasitenbefall allgemein
Bei äußerlichem Befall: Waschungen mit starkem Lapacho-Tee und Lapacho-Teil- oder Ganzkörperbäder.

In sehr schwierigen Fällen zusätzlich die betroffenen Körperbereiche mit Lapacho-Tinktur mehrmals täglich einpinseln. Zusätzlich längere Zeit Lapacho-Tee trinken, um den Stoffwechsel umzustimmen. Parasitenbefall deutet immer auf eine *starke Verschlackung* des Organismus hin. Diese kann Lapacho beseitigen, wenn er lange genug angewendet wird.

Bei innerlichem Befall: Trinkkur mit Lapacho-Tee. Eventuell mit Lapacho-Kapseln ergänzen.
(Siehe auch unter dem Stichwort „Pilzinfektionen".)

Parkinson

Langfristige Trinkkuren mit Lapacho-Tee, ergänzend Lapacho-Kapseln und einmal wöchentlich ein Vollbad mit Lapacho.

Pilzinfektionen

Bei Pilzerkrankungen an Händen und Füßen:
10 Tage lang zweimal täglich 15 Minuten die befallenen Glieder in einem Lapacho-Tee Aufguß baden. Den Aufguß doppelt so stark wie im Grundrezept angegeben zubereiten. Dadurch werden die Pilze direkt abgetötet und der Stoffwechsel an den infizierten Körperstellen wesentlich verbessert. Während der Zeit der äußerlichen Anwendung sollte auch Lapacho-Tee, zubereitet nach dem Grundrezept, in einer Menge von bis zu zwei Litern pro Tag getrunken werden. Wenn der Pilzbefall chronisch ist, also seit mehreren Monaten oder Jahren besteht, sollte eine längerfristige Lapacho-Trinkkur durchgeführt werden. Dazu werden sechs Wochen lang täglich bis zu 2 Litern Lapacho Tee, zubereitet nach dem Grundrezept getrunken, um das Milieu im Körper für die Pilze unverträglich zu machen. Bei Säuglingen und Kleinkindern kann der Tee dem Badewasser zugesetzt werden und bis zu etwa 500 ml tagsüber als Getränk verabreicht werden. Bei Kindern bis zu 12 Jahren wird meist ein Liter Lapacho ausreichen, bei älteren die volle Menge von eineinhalb bis zwei Litern.

Pilze im Körper werden grundsätzlich durch langfristige Trinkkuren mit Lapacho-Tee bekämpft. Ergänzend Lapacho-Kapseln und einmal die Woche ein Lapacho-Vollbad anwenden. Das Essen statt mit schwarzem Pfeffer mit Cayennepfeffer würzen. Wer es mag, kann auch eine kleine(!) Prise davon ab und zu in den Lapacho-Tee streuen. Cayennepfeffer ist ein weiteres mächtiges Heilmittel gegen jede Art von Pilzerkrankung. Es muß aber noch einmal betont werden, daß er nur in kleinen Mengen zum Einsatz kommen sollte. Die Wirkung entsteht hier durch regelmäßigen und langfristigen Gebrauch. Weiterhin kann Knoblauch bei der Ausheilung von Mykosen (Pilzinfektionen) helfen. Um zu seiner vollen Wirkkraft zu kommen, sollte er vor dem Genuß immer sorgfältig zerquetscht werden. Dadurch entstehen bestimmte Verbindungen seiner Inhaltsstoffe, die großen therapeutischen Nutzen haben.

Bitte beachten: Bei einer Lapacho-Kur zur Ausheilung einer inneren Pilzinfektion kann es für einige Zeit, wie häufig beobachtet wurde, zu einer Verschlimmerung der subjektiven und objektiven Symptome kommen! Der Grund dafür ist das massenhafte Absterben der Pilze im Körper, die damit verbundene Freisetzung von Giftstoffen und die daraus resultierende Belastung des Stoffwechsels. Je weiter die Ausleitung der Pilzgifte fortschreitet, desto stärker bessern sich aber der Allgemeinzustand und natürlich auch die speziellen Symptome.

Polypen

Bis zum Abheilen der Schleimhautwucherungen eine Lapacho-Trinkkur durchführen. Die ersten vier Wochen mit der Einnahme von Lapacho-Kapseln die Wirkung verstärken. Zusätzlich zwei- bis dreimal pro Woche den Dampf von Lapacho-Tee unter einem Tuch inhalieren. Mit den Tee gurgeln.

Prostataentzündung

Eine längere Kur mit Lapacho durchführen. Zusätzlich Kürbiskerne kauen. Darin sind Wirkstoffe enthalten, die Prostatabeschwerden günstig beeinflussen. Täglich Lapacho-Kompressen auf den Unterbauch großflächig auflegen. Weiterhin gibt es eine Nahrungsergänzung, die aus einer bestimmten Kakteenart mit Namen *Opuntia* hergestellt wird und sehr wirksam in Bezug auf Infektionen der Vorsteherdrüse (Prostata) ist. In Deutschland ist sie bei der Firma Hannes GmbH, München erhältlich. Viel trinken – täglich 1,5 bis 2 Liter Flüssigkeit.

Psoriasis (Schuppenflechte)

Bis zur Ausheilung eine Trinkkur mit Lapacho-Tee. In schweren Fällen ergänzen mit Lapacho-Kapseln. Ganzkörper- oder Teilbäder mit Lapacho, um die betroffenen Hautstellen zu beruhigen und die Abheilung zu fördern. In schweren Fällen die betroffenen Körperstellen zusätzlich mit Lapacho-Tinktur betupfen und Lapacho-Kompressen auflegen.

Eine der hauptsächlichen Ursachen für die Entstehung von Psoriasis sind Infekte sowie schwere körperliche und/oder unbewältigte seelische Verletzungen. Lapacho-Tee enthält eine Reihe von Stoffen, die bestehende Infektionen ausheilen und neuen vorbeugen können. Durch die Normalisierung des Stoffwechsels werden auch die Vitalität und die nervliche Belastbarkeit wesentlich verbessert. Ist feststellbar, daß die Psoriasis deutlich durch unverarbeiteten Streß begünstigt wird, kann, neben einer geeigneten Psychotherapie, auch der tägliche Genuß von *Catuaba-Tee* hilfreich sein. Dieser ebenfalls aus Südamerika stammende Rindentee hebt die Stimmung und wirkt harmonisierend auf die Psyche ein. Siehe auch: Kapitel 10 – Der Wohlfühltee Catuaba – Eine ideale Ergänzung zu Lapacho.

Raucherhusten

Zur Reinigung des Stoffwechsels eine längere Trinkkur mit Lapacho-Tee durchführen. Täglich einmal den Dampf von Lapacho-Tee unter einem Tuch inhalieren. Mehrmals pro Woche großflächig Lapacho-Kompressen auf den Brustbereich auflegen. Einmal pro Woche ein Lapacho-Vollbad nehmen.

Rheumatismus

Langfristig Lapacho-Trinkkuren durchführen und Kompressen auf die schmerzenden Stellen auflegen. Die Behandlung sollte durch Lapacho-Kapseln und regelmäßige Lapacho-Bäder ergänzt werden.

Ringelflechte

Behandlung wie unter dem Stichwort „Pilze" erklärt.

Schmerzzustände aller Art
Lapacho-Kompressen auf die schmerzende Stellen auflegen. Lapacho-Tee trinken.

Tabakentwöhnung
(siehe auch: „Alkoholabhängigkeit", „Raucherhusten")
Langfristige Trinkkur mit Lapacho-Tee. Ist Raucherhusten vorhanden, sollten regelmäßig die Dämpfe des Tees unter einem Tuch eingeatmet werden. Ergänzend Lapacho-Kapseln einsetzen.

Warzen
Neben einer sechswöchigen Lapacho-Trinkkur zur Reinigung des Organismus von Schlacken und Giften können die Warzen täglich mehrmals mit Lapacho-Tinktur (gibt es in der Apotheke oder im Versandhandel) eingepinselt oder mit Lapacho-Kompressen behandelt werden.

Wunde Hautstellen
Die betroffenen Bereiche mit Lapacho-Tinktur befeuchten und verbinden oder Kompressen, die mit starkem Lapacho-Tee getränkt sind, auflegen. Sind die wunden Hautstellen nicht durch Verletzungen entstanden, sollte unbedingt eine zumindest sechswöchige Trinkkur zur Stoffwechselumstimmung und Entgiftung durchgeführt werden. Eine Untersuchung durch einen ganzheitlich behandelnden Mediziner ist unbedingt empfehlenswert. Siehe auch unter dem Stichwort „Krebs".

Wunden
Kompressen mit *frisch zubereitetem* Tee auflegen. Bei größeren Verletzungen immer Lapacho auch innerlich anwenden. An Sterilität des Verbandes denken.

Zystitis
Kur mit Lapacho-Tee. Größere Mengen trinken, damit die Harnwege immer wieder durchgespült werden! Lapacho-Kompressen auf die Blasengegend großflächig auflegen.

Grundsätzliches zur erfolgreichen Anwendung von Lapacho

Lapacho sollte *unbedingt* immer einige Zeit über das Verschwinden der jeweiligen Symptome hinaus kurmäßig angewendet werden, um Rückfälle zu vermeiden. Lapacho baut dann zusätzlich die Widerstandskraft des Organismus auf. Dies braucht aber nun einmal etwas Zeit. Bei akuten Gesundheitsproblemen sind im allgemeinen einige Tage völlig ausreichend. Etwas länger kann ja sowieso bei Lapacho nicht schaden.

Bei chronischen Erkrankungen wie Krebs, Multiple Sklerose und dergleichen sollte, wenn sie noch nicht sehr weit fortgeschritten sind, von der alten naturheilkundlichen Heilungsregel ausgegangen werden, die besagt: „Pro Jahr Erkrankung kalkuliere etwa vier Wochen Heilungszeit ein!" Nach den Erkenntnissen der Naturheilkunde beginnt zum Beispiel eine Krebserkrankung bereits etwa 10 Jahre, bevor die ersten klinisch diagnostizierbaren Symptome nachweisbar sind.

In schweren Fällen sogenannter „unheilbarer Erkrankungen", wie etwa Leukämie, sollte der Betreffende mit der Lapacho-Kur nicht aufhören, wenn die klinisch feststellbaren Symptome abgeklungen sind. Dr. Theodoro Meyer, einer der größten neuzeitlichen Kenner der Heilkräfte des „Göttlichen Baumes", empfahl in derartigen Fällen, Lapacho lebenslang anzuwenden, da häufig der Organismus bei fortgeschrittenen Fällen seine Fähigkeit, sich selbst nachhaltig in einem gesunden Zustand zu halten, ganz oder teilweise eingebüßt habe.

Natürlich sind die in diesem Kapitel aufgelisteten Erkrankungen und Lapacho-Anwendungen nur als Beispiele zu betrachten. Lapacho eignet sich zumindest zur unterstützenden Therapie bei fast allen Gesundheitsproblemen, doch sollten Laien nicht im Alleingang handeln, sondern auf den Rat erfahrener, ganzheitlich orientierter Mediziner vertrauen.

Die Fachmenschen unter den Lesen mögen mir verzeihen, daß einige Anwendungen mehrfach benannt sind, wie zum Beispiel Entzündungen und Gelenkentzündungen. Da ich meine und hoffe, daß dieses Buch von vielen Laien gelesen wird, habe ich zum besseren Verständnis bestimmte Anwendungen, die allgemein genannt worden sind, noch einmal in speziellen Erscheinungsformen aufgelistet.

Kapitel 8

Anwendungen mit Lapacho

Lapacho-Tee

Dies ist meiner Ansicht nach die wichtigste und vielseitigste Darreichungsform. Durch die Art der Zubereitung und die großen Mengen an Flüssigkeit, die auf diese Weise in den Körper gelangen, wird die Entgiftung und die Entschlackung des Körpers wunderbar unterstützt. *Wasser ist unbedingt notwendig*, um Stoffe aus dem Körper zu schwemmen, die für diesen nicht zuträglich sind. Nur allzu leicht wird bei anderen Darreichungsformen diese essentielle Grundregel der Naturheilkunde außer acht gelassen. Außerdem werden bei dem Vorgang der Teezubereitung genau die richtigen Stoffe aus der Rinde gelöst, um eine optimale und harmonische Wirkung auszulösen. Auch entsprechende akademische Studien belegen die Wirkungen der Zubereitungsform Tee, obwohl immer noch nicht wirklich wissenschaftlich geklärt ist, warum der Tee mit teilweise nur in Spuren vorkommenden Mengen an heilkräftigen Substanzen so Großes zu leisten vermag. Diese Tatsache erinnert mich an die Homöopathie, wo ja ähnlich geringe Dosen intensive gesundheitsfördernde Prozesse einleiten können.

Lapacho-Kapseln

Diese Darreichungsart empfiehlt sich zum einen für intensive Lapacho-Kuren, wenn es also um die Behandlung schwerer Erkrankungen geht, weil ein Mensch nun mal nur begrenzte Mengen an Flüssigkeit zu sich nehmen kann und damit folglich auch der Menge der Wirkstoffe, die in den Körper gelangen können, eine Obergrenze gesetzt ist.

Zum anderen sind Lapacho-Kapseln auch dann genau die richtige Wahl, wenn Sie viel auf Reisen sind oder aus anderen Gründen nicht so ohne weiteres regelmäßig die Zeit für die Zubereitung und den Genuß des Tees erübrigen können und trotzdem auf die wohltuenden Lapacho-Wirkungen nicht verzichten wollen. Denken Sie aber bitte daran: Wenn gründlich entschlackt und entgiftet werden soll, braucht der Körper unbedingt eine ausreichende Flüssigkeitszufuhr. Die entsprechende Menge bewegt sich beim Erwachsenen zwischen eineinhalb und über zwei Litern. Kaffee, Schwarztee, Milch, koffeinhaltige Limonaden und alkoholische Getränke zählen dabei nicht!

Wenn *schnell* ein Lapachowickel angefertigt werden soll, sind auch hier die Kapseln sehr nützlich. Öffnen sie einfach zwei bis vier davon und streuen Sie das Pulver auf die mit heißem Wasser durchgefeuchtete Kompresse. Auf die entsprechende Körperstelle auflegen, mit einem trockenen Baumwoll- oder Wolltuch umwickeln, fertig. Der mit gekochtem Lapacho-Tee hergestellte Wickel ist aber deutlich in der Wirkung überlegen. Es ist also eine Art „Notrezept".

Wollen Sie Ihre Haustiere, zum Beispiel Hunde und Katzen, mit Lapacho versorgen, etwa um lästigen Fellbewohnern die „Rote Karte" zu zeigen, können Sie den vierbeinigen Hausgenossen Lapacho-Tee zu trinken geben. Viele mögen ihn. Sie können aber auch in die Mahlzeiten den Inhalt einer Kapsel einstreuen. Flöhe und Zecken haben dann schlechte Zeiten.

Lapacho-Tinktur

Diese Zubereitung ist ein Auszug auf alkoholischer Grundlage (zum Beispiel Honigwein). Die Tinktur ist gut für unterwegs geeignet, aber auch als schnelle Hilfe bei kleinen Verletzungen. Einfach etwas Tinktur auf die Wunde bringen – es brennt ein wenig, wegen des Alkohols – und sorgfältig verbinden. Den Rest des Fläschchens trinken, um die Wundheilung von innen zu beschleunigen. Ebenso können mit der Tinktur Kompressen hergestellt werden, wenn unterwegs kein Tee und kein heißes Wasser zur Hand sind.

Lapacho-Kompressen

Diese Anwendungsart eignet sich besonders für viele Hautprobleme, aber auch zur Behandlung von Entzündungen der Gelenke, Sehnen und Muskeln sowie Wunden aller Art.

Bereiten Sie Lapacho-Tee doppelt so stark wie im Grundrezept beschrieben zu, tränken Sie damit ein, natürlich sauberes, bei offenen Wunden unbedingt steriles (!), Baumwolltuch und legen Sie dies auf den betreffenden Bereich des Körpers. Diese Kompresse sollte heiß sein, aber selbstverständlich nicht so, daß es schmerzt oder Sie sich gar verbrühen! Um das feuchte Tuch legen Sie ein weiteres zum Abdecken aus Baumwolle oder Schafwolle und fixieren das Ganze mit Klammern oder Binden. Vorsicht dabei! Der Wickel soll auf keinen Fall die Blutzufuhr abschnüren.

Wenn der Wickel erkaltet ist, kann er abgenommen werden. Wenden Sie ihn mit frischem Tee ein- bis dreimal täglich bis zur Abheilung an. In schwereren Fällen auch öfter nach Bedarf. Bei offenen Wunden muß ein neues, steriles Tuch verwendet und mit jedes Mal frisch gekochtem Tee getränkt werden. Auch der Tee muß sterilisiert werden! Dazu bitte von einem Mediziner beraten lassen. Also keinesfalls den alten aufbrühen. Es könnten sonst Keime in die Verletzung gelangen. Die Tücher müssen bei der Anwendung auf offenen Wunden hinterher zur gründlichen Reinigung ausgekocht werden.

Statt der extra starken Teezubereitung können Sie auch einfach den Sud verwenden, der nach dem Kochen des Lapacho-Tees nach dem Grundrezept überbleibt. Nehmen Sie den noch heißen Sud, wickeln Sie ihn in ein dünnes Baumwolltuch, das dann als Kompresse aufgelegt und wie im ersteren Fall mit einem weiteren Tuch umschlagen und fixiert wird.

Das Lapacho-Bad

Gerade bei äußerlichen Erkrankungen können Lapachobäder eine sehr wirkungsvolle Anwendung sein. Damit sich eine optimale Wirkung ergibt, sollte auf Folgendes geachtet werden ...

Etwa eineinhalb Liter Tee nach dem Grundrezept, aber doppelt so stark wie dort angegeben zubereiten. Den fertigen Tee in die mit etwas mehr als körperwarmem Badewasser (ca. 38 bis 39 Grad Celsius) gefüllte Wanne hinzugießen. Achtung! Keine weiteren Badezusätze verwenden! Ungefähr eine halbe Stunde baden, ohne sich abzuseifen oder die Haare zu waschen. (Kann ja vorher gemacht werden.) Danach die Haut nicht Duschen oder Abspülen und nur leicht abtrocknen. Wickeln Sie sich in einen vorgewärmten flauschigen Bademantel oder ein großes Frottier-Tuch und legen Sie sich zur Nachruhe mindestens 20 Minuten ins Bett. Wollen Sie etwas mehr ins Schwitzen kommen, trinken Sie gleich nach dem Bad einen großen Becher Lapacho-Tee, zubereitet nach Rezept 4 aus Kapitel 5.

Ein solches Lapacho-Vollbad in Kombination mit dem „Erkältungskiller" (Rezept 4) kann einen im Anrücken befindlichen grippalen Infekt wirksam stoppen. Trinken Sie in einem solchen Fall aber die nächsten drei Tage zusätzlich wesentlich mehr Lapacho, mindestens einen dreiviertel Liter täglich, wie in der Kur, also ungesüßt und zwischen den Mahlzeiten. Für die Zubereitung wählen Sie das Grundrezept.

Das Teilbad: Auf ähnliche Weise wird Lapacho bei Teilbädern angewendet. Sind nur bestimmte Körperbereiche, wie beispielsweise bei Pilzinfektionen die Hände oder Füße, betroffen, baden Sie nur diese Stellen. Bei Teilbädern wird der Tee unverdünnt nach dem doppelt so starken Grundrezept angewendet. Etwa 15 bis 20 Minuten den betroffenen Körperteil im Tee lassen, danach entweder abtrocknen oder, wenn eine Verstärkung der Wirkung erwünscht ist, in ein vorgewärmtes Handtuch wickeln und dieses erst nach einer weiteren Viertelstunde abnehmen.

Lapacho
in der homöopathischen Zubereitung

Der große Arzt und Apotheker Samuel Hahnemann begründete vor beinahe 200 Jahren die Heilkunst der Homöopathie. Er ging davon aus, daß eine Arznei bei einem Gesunden bei längerer Anwendung in größeren Gaben ähnliche Krankheitssymptome hervorrufen könne, wie sie bei einem Erkrankten zu heilen vermöge. Lateinisch heißt dieses Gesetz: *Similia similibus curantur*. (Ähnliches wird durch ähnliches geheilt.) Eine große Zahl praktischer Untersuchungen bestätigte diese Regel. Weiterhin fand Hahnemann heraus, daß Arzneien tiefgreifender und gleichzeitig harmonischer wirken, wenn sie potenziert, das heißt: in einem bestimmten Verhältnis mit einem Trägerstoff wie beispielsweise Wasser verdünnt und dann rhythmisch verschüttelt werden. Es würde zu weit führen, dieses umfangreiche System hier im Detail erklären zu wollen. Ich verweise dazu auf die ausgezeichnete Literatur im Anhang.

Für unsere Belange ist es wichtig, über die praktische Anwendung des homöopathischen Prinzips in Bezug auf Lapacho einiges zu wissen. Sie können sich nämlich selbst Lapacho auf homöopathische Art zubereiten. Leider gibt es ihn meinen Recherchen nach noch nicht in industriell hergestellter Form. Für die Herstellung verwenden Sie eine Pipette und mehrere saubere Glasfläschchen zu etwa 50 ml. Diese bekommen sie in jeder Apotheke. Weiterhin brauchen Sie etwas fertig zubereiteten Lapacho-Tee und abgekochtes Wasser, das auf Zimmertemperatur abgekühlt ist sowie ein dickes Telefonbuch. Geben Sie mit der Pipette einen Tropfen des Tees in eines der Glasfläschchen und füllen Sie mit 99 Tropfen des abgekochten Wassers auf. Verschließen Sie das Fläschchen und schlagen Sie es 10mal kräftig auf das Telefonbuch. Voilà! Soeben haben Sie das homöopathische Mittel Lapacho in der Potenz (Verdünnungsstufe) C 1 selber hergestellt. Nun nehmen Sie von der Flüssigkeit Lapacho C 1 einen Tropfen, geben ihn in ein weiteres Fläschchen, füllen wiederum mit 99 Tropfen des abgekochten Wassers auf, verschließen es und schlagen es erneut 10mal kräftig gegen das Telefonbuch. In diesem Gefäß haben Sie jetzt das homöopathische Mittel Lapacho in der Potenz C 2. Füllen Sie nun zur Gänze mit Wodka auf und nehmen Sie bei Erkrankungen mehrmals täglich einen bis fünf Tropfen der Flüssigkeit unter die Zunge. Am besten wirkt es, wenn Sie 15 Minuten vorher und nachher nichts Essen oder Trinken. Verwenden Sie homöopathischen Lapacho *nur,* wenn Sie wirklich krank sind, und setzen Sie ihn sofort ab, wenn Sie sich wieder gesund fühlen und die Symptome verschwunden sind. Nehmen Sie homöopathischen Lapacho nicht vorbeugend und immer nur tropfenweise. Stellen Sie bitte keine höheren Potenzen als C 6 zur Einnahme her. Denn der fachgerechte Einsatz hoher homöopathischer Potenzen erfordert eine entsprechende Ausbildung und Erfahrung. Ein Arzt oder Heilpraktiker, der sich mit dieser Heilkunst auskennt, wird Sie gut beraten können. Sie sollten immer einen Spezialisten konsultieren, wenn Sie homöopathisierten Lapacho in höheren Potenzen als C 6 oder länger als eine Woche anwenden wollen.

Lapacho für Haustiere

Manche Tiere, so wurde mir von einigen Anwendern berichtet, trinken gerne Lapacho-Tee. Er kann für sie nach demselben Grundrezept wie für Menschen zubereitet werden. Ansonsten kann, wie oben beschrieben, der Inhalt von Lapacho-Kapseln unter das Futter gemischt werden. Dies zusammen mit Grapefruitkernextrakt-Kapseln ist übrigens eine sehr effiziente und den Organismus der Tiere nicht belastende Wurmkur. Bei Flöhen, Zecken und anderen Parasiten, die sich gern in Fell und Haut einnisten, kann zusätzlich zur inneren Anwendung eine regelmäßige feuchte Abreibung mit Lapacho-Tee oder, wenn das Tier es gewohnt ist, ein Lapachobad gegeben werden. Vorbeugend gegen Parasitenbefall und besonders in der „Zeckenjahreszeit" einfach täglich Lapacho in irgendeiner Form geben.

In einigen Regionen der Anden wird Lapacho-Tee Hunden vorbeugend gegen Tollwutinfektionen zu trinken gegeben. Nähere Informationen liegen mir leider noch nicht vor.

Lapacho für Pflanzen – ein Forschungsprojekt
Leider liegen mir keine Erfahrungsberichte vor, doch läßt sich aus den Wirkungen von Lapacho mit einer gewissen Wahrscheinlichkeit annehmen, daß bei Parasitenbefall von Pflanzen eine Beimengung von Lapacho-Tee zum Gießwasser und das Besprühen der Blätter und des Stammes damit eigentlich Schädlinge vertreiben müßten. Wer ein wenig Forschergeist besitzt, kann es ja mal ausprobieren. Über diesbezügliche Berichte würde ich mich sehr freuen. Die Post bitte an den Windpferd Verlag in Aitrang richten. (Adresse siehe Seite 137).

Lapacho – für jeden Tag
Lapacho als gesundes, tägliches Getränk: Wird Lapacho als wohlschmeckender, bekömmlicher und die Gesundheit erhaltender Haustee verwendet, ist eine Menge von täglich ein bis vier Tassen à 0,15 Liter je nach Alter, Größe, Gewicht und Gesundheitszustand und – last but not least – Appetit zu empfehlen. Die positive Wirkung auf den Stoffwechsel ergibt sich bei dieser Form der Anwendung weniger aus der Menge, die getrunken wird, sondern aus dem *regelmäßigen* Genuß. Mit Hilfe der in Kapitel 5 angeführten leckeren Rezepte kann Lapacho dabei in immer wieder neuen Varianten zubereitet und sowohl zu den Mahlzeiten als auch dazwischen getrunken werden. So gibt es reichlich Abwechslung. Und übrigens: Wenn Sie mal mehr von dem Tee des „Göttlichen Baumes" trinken, weil er einfach so gut schmeckt – kein Problem! Erwiesenermaßen ist Lapacho nicht giftig, sondern fördert sogar umfassend das gesundheitliche Wohlergehen. Deswegen verwenden ihn Indios in Südamerika seit den Zeiten der Inka und Azteken als tägliches Getränk.

Die Lapacho-Kur: Um konzentriert etwas für die Gesundheit zu tun, kann grundsätzlich die folgende Dosierung verwendet werden ...
   Täglich sechs bis zwölf Tassen zu je etwa 0,15 Litern. Zubereitung nach dem Grundrezept aus Kapitel 5.

Anders als bei der Verwendung als Haustee ist es im Rahmen einer Lapacho-Kur sinnvoll, den Tee möglichst auf nüchternen Magen zu trinken und ihn nicht oder nur wenig mit kaltgeschleudertem Honig oder Rohrzuckermelasse zu süßen. Die Trinktemperatur sollte Extreme vermeiden. Also kühl, aber nicht eiskalt; warm, aber nicht heiß. Von den Rezepten aus Kapitel 5 wählen Sie am besten die Grundzubereitung sowie Nummer 2, 3, 4, 7, 8 und 9. Wobei der größere Anteil zubereitet nach dem Grundrezept angewendet werden sollte. Die anderen Zubereitungsarten sind natürlich nicht verboten, sollten aber eher selten im Rahmen einer Kur genossen werden.

Ernährungstips für die Lapacho-Kur

Wollen Sie Lapacho die Arbeit erleichtern, läßt sich mittels einer sinnvollen Auswahl von Lebensmitteln einiges machen.

Vermeiden Sie ...
- Schweinefleisch und schweinefleischhaltige Produkte
- Nahrungsmittel, die Konservierungsstoffe, künstliche Färbemittel oder Schmelzsalze enthalten
- hocherhitzte Milchprodukte aller Art
- Zuckerhaltige Limonaden, Süßspeisen, Kuchen
- Raffinadezucker
- Alkohol, Tabak und andere Genußdrogen
- das Nachsalzen beim Essen
- besonders salzhaltige Nahrungsmittel und Getränke
- Tütengerichte und Konserven
- die Mikrowelle und die Friteuse bei der Zubereitung Ihres Essens
- das Aufwärmen von Essen
- stark Gebratenes
- Wurst
- Weißmehlprodukte
- Essig, der aus synthetischer Essigsäure hergestellt ist

Reduzieren Sie ...
- konzentrierte Milchprodukte
- Fleischgenuß allgemein
- große Mahlzeiten und teilen Sie sie besser in mehrere kleine auf
- Mahlzeiten nach 18:00 Uhr
- Streß beim Essen
- Essen in Restaurants
- Getränke direkt zu den Mahlzeiten zu sich zu nehmen

Bevorzugen Sie ...
- Lebensmittel aus biologisch-ökologischer Landwirtschaft
- kurz blanchierte und schonend gegarte Speisen sowie Salate
- natriumarme Mineralwässer als Getränk
- Fisch
- Obst und Gemüse
- frisch zubereitete Speisen
- Abwechslung bei der Ernährung
- frische Kräuter zum Würzen
- kaltgeschleuderten Honig und Zuckerrohrmelasse zum Süßen
- Rohmilchprodukte
- kaltgepreßte Öle, besonders Olivenöl, Leinöl, Distelöl, Sonnenblumenöl
- Salate mit viel Chlorophyll (Blattgrün) enthaltenden Pflanzen
- sechs kleine Mahlzeiten am Tag
- bewußte Auswahl ihrer Speisen nach momentanem Appetit
- Kanne Brottrunk, Zitronensaft oder Aceto Balsamico (Balsamessig) statt „normalem" Essig
- jeden Bissen gut zu kauen
- Vollkornprodukte
- Ruhe beim Essen
- optisch und aromatisch ansprechend zubereitetes Essen

Tips für die allgemeine Lebensführung während einer Lapacho-Kur:
- Vermeiden Sie nach Möglichkeit größeren Streß
- Gehen Sie viel an frischer Luft Spazieren
- Führen Sie Tagebuch über ihre Träume, ihren seelischen Zustand und die körperlichen Reaktionen während der Kur-Zeit
- Denken Sie über Ihr Leben und ihre Ziele nach, die Sie in der Zukunft haben*

> Achtung! Bei allen ernsten Erkrankungen und allen Symptomen, die auf eine solche hinweisen könnten, muß ein Arzt eingeschaltet werden. Sprechen Sie mit Ihrem behandelnden Mediziner die Anwendungsweise von Lapacho, die Dosierung und ihre Reaktionen auf die Kur unbedingt durch. Vielen naturheilkundlichen Medizinern ist Lapacho bereits ein Begriff.

---

*Lesetip zur Neuorientierung: „Handbuch für Lebensberater", „Handbuch des spirituellen NLP" und „Das Tao des Geldes", beide Walter Lübeck, Windpferd Verlag.

Kapitel 9

Was sind Heilreaktionen?

Als ganzheitlich positiv auf den Organismus wirkende Nahrungsergänzung übt Lapacho mit seiner einzigartigen Wirkstoffkombination einen der Natur gemäßen heilenden Einfluß auf den *gesamten* Organismus aus. Im einzelnen heißt das:
- Der Körper wird insgesamt entgiftet. Es werden also Substanzen, die ihn schädigen können, verstärkt ausgeschieden oder umgewandelt in unschädliche Stoffe.
Beispiele für giftige Stoffe in diesem Zusammenhang: Autoabgase, Lösungsmittel, Weichmacher, Konservierungsstoffe, Pflanzenschutzmittel, Schwermetalle, Rückstände von Antibiotika und Chemotherapien.
- Der Körper wird gründlich entschlackt. Dies bedeutet, die Blutgefäße, das Lymphsystem, die Zellen, Organe und Bindegewebe sowie andere Bereiche des Organismus werden von Stoffen gereinigt, die zwar nicht giftig sind, aber die normalen Lebensfunktionen behindern. Diese Stoffe werden ebenfalls größtenteils ausgeschieden, manchmal umgewandelt in Verträglicheres.
Beispiele: Nicht vom Stoffwechsel verwertbare Einweiße, die sich unter anderem an den Gefäßwänden ablagern oder die Gefäße als Schleim verkleben. Cholesterinablagerungen an Gefäßwänden; überschüssiges Salz, das Wasser festhält und damit das Gewebe unnötig aufschwemmt; Ablagerungen im Darm, Zuckerkristalle an den Wänden der Blutgefäße bei Diabetikern.

Durch umfassende Entgiftung/Entschlackung können seit langem bestehende, unterdrückte (chronische) Erkrankungen für kurze Zeit akut werden. Dies ist der *natürliche Ablauf* einer Heilung.

Beispiel: Jemand hat seit Monaten immer wieder eine laufende Nase, ab und zu in (un-)schöner Regelmäßigkeit Halsweh und geschwollene Mandeln Er wird auch seinen Husten nicht richtig los. Mal werden die Beschwerden besser, dann kommen sie wieder. Die Erkältung heilt also nicht richtig aus. Wenn Lapacho seine Wirkung entfaltet, *kann* für einige Tage ein Fieberschub entstehen, der anzeigt, daß das Immunsystem des Körpers jetzt auf Hochtouren läuft und sich endlich richtig gegen die Krankheitserreger zur Wehr setzt. Husten, Schnupfen und Halsweh *können* in diesem Zusammenhang *einige Tage* verstärkt auftreten. Denn durch diese Erscheinungen reinigt sich ja der Organismus. Der Auswurf beseitigt schädliche Substanzen aus Kopf, Hals und Brustraum. Halsweh und geschwollene Mandeln deuten auf eine aktive Entgiftungstätigkeit des Lymphsystems* hin.

Durch die Ausscheidung und Verarbeitung der Gifte und Schlacken können außerdem bis zum Ende der inneren Reinigung unter anderem folgende Erscheinungen auftreten ...

- Der Urin wird reichlicher ausgeschieden, hat ungewöhnliche Färbungen und riecht anders als normal
- Der Stuhl wird vermehrt ausgeschieden, sieht anders aus und riecht anders als normal
- Es kommt zu vermehrtem Schwitzen, der Schweiß riecht ungewöhnlich
- Beläge auf der Zunge
- Hautreaktionen, wie Ausschläge und Pickel
- In Fällen starker innerer Verschlackung können (selten) Eiterungen als drastischer Ausscheidungsprozeß auftreten

---

*Das Lymphsystem stellt ein eigenständiges Gefäßsystem im Körper dar, das durch die Tätigkeit der Muskulatur am Fließen gehalten wird. Dies bedeutet etwas vereinfacht: Wenig Bewegung = Lymphstau - viel Bewegung = Förderung des zur Gesundung/Gesunderhaltung wichtigen Lymphflusses. Über die Lymphflüssigkeit werden schädliche Stoffe aus dem Gewebe geleitet und zur Ausscheidung gebracht.

- Durch das starke Engagement des Organismus für Reinigung und Heilung fühlt man sich einige Zeit müder und abgeschlagener als sonst und hat ein größeres Bedürfnis nach Entspannung
- Der Atem riecht ungewöhnlich oder schlecht
- Die Haut fettet mehr
- Es treten Schuppen auf der Kopfhaut auf und die Haare werden schneller fettig
- Schnupfen und Husten
- Durchfall
- Vorübergehend geringere seelische Belastbarkeit, verstärktes Traumgeschehen, häufigeres Weinen und insgesamt lebhaftere Gefühlsäußerungen
- Vorübergehende Schwellung von Lymphknoten

Der Körper muß bei einer ganzheitlichen, natürlichen Heilung auf die ihm möglichen Weisen Belastendes loswerden und braucht seine Kraft für den Hausputz und die Renovierung. So lassen sich die Heilreaktionen in einem Satz zusammenfassen. Bitte haben Sie keine Angst davor: Heilreaktionen entstehen, individuell unterschiedlich in Art und Umfang, bei jeder naturgemäßen Kur. Sei es Homöopathie, Reiki, Akupunktur, Polarity, Shiatsu, Fasten oder Kneippkur.

Um trotzdem auf „Nummer Sicher" zu gehen, sollten Sie unbedingt im Zweifelsfall einen auf ganzheitliche Art arbeitenden Mediziner konsultieren. Bei ernsten Erkrankungen und allem, was ernst sein könnte, gehen Sie bitte vor dem Beginn einer Selbstbehandlung in die Sprechstunde, um den Rat eines Spezialisten einzuholen.*

---

*Um die Abläufe in Körper, Geist und Seele besser zu verstehen, empfehle ich die folgenden ausgezeichneten Bücher: „Die wissenschaftliche Homöopathie", Georgos Vithoulkas, Burgdorf Verlag, und „Biotop Mensch", Gunther W. Schneider (HP), Selbstverlag.

Kapitel 10

Der Wohlfühltee Catuaba, eine ideale Ergänzung zu Lapacho

Es bietet sich an, Lapacho mit anderen Heilpflanzen zu kombinieren, um optimale Ergebnisse bei bestimmten gesundheitlichen Disharmonien zu erzielen. Eine wichtige Eigenschaft des Lapacho ist es nämlich, durch seine speziellen Saponine in einer Kräutertee-Mixtur wie ein Katalysator die Wirksamkeit und oft auch die Verträglichkeit der anderen Bestandteile zu verbessern. Ich habe deswegen in diesem Kapitel ein sehr interessantes Beispiel für eine solche Kombination beschrieben.

Catuaba – weckt die Lebensfreude

In Brasilien wird Catuaba-Tee als Aphrodisiakum hoch geschätzt. Man kann sagen, daß Catuaba-Tee ein fester Bestandteil der brasilianischen Kultur ist. Die Regenwaldpflanze Catuaba wird von den *Tupi-Indianer* frei übersetzt „Guter Baum" genannt. Der aus der Rinde dieses Strauches gewonnene Tee ist seit Jahrhunderten wegen seiner belebenden und magenstärkenden Wirkungen bekannt und geschätzt.

Traditionell werden ihm die folgenden Heilkräfte zugeschrieben ...
- durchblutungsnormalisierend
- krampflösend
- Nerventonikum
- magenberuhigend
- nervöse Magenbeschwerden lindernd und heilend
- potenz- und libidofördernd
- stärkende Wirkung auf die Fortpflanzungsorgane insgesamt

🍀 heilend bei verschiedenen Formen von Hautkrebs – (Kombinierte innere (Tee) und äußere (Sudauflagen) Anwendung.

Neben- und Wechselwirkungen sind nicht bekannt. Catuaba-Tee wird seit Jahrhunderten in Südamerika verwendet.
Die Zubereitung erfolgt ganz ähnlich wie bei Lapacho: 1 Eßlöffel auf einen Liter Tee, 5 Minuten kochen und 15 Minuten ziehen lassen.
Catuaba-Tee hat ein zitrusähnliches Aroma und ist sehr wohlschmeckend. Die Dosierung kann nach Geschmack erfolgen.
Kurmäßig sollte er, am besten zusammen mit Lapacho, 14 Tage bis drei Wochen in größeren Mengen genossen werden, damit die Lebensgeister wieder erwachen. Die Durchblutung wird im ganzen Körper und speziell im Bereich der Beckenorgane verbessert, die Nerven beruhigen und erholen sich. Sogar viele Verspannungen lösen sich auf.
Aber bitte beachten: Wenn der Catuaba-Tee längere Zeit in größeren Mengen genossen wird, ist es sehr schön, Urlaub zu haben; und Ihr Partner beteiligt sich am besten an der Trinkkur ...

Catuaba gegen «Low Sexual Desire»

Catuaba, gerade in Verbindung mit Lapacho, scheint mir nach den vorliegenden klinischen Untersuchungen und Berichten vieler Anwender ein gutes und zudem noch preiswertes und wohlschmeckendes Mittel gegen das immer mehr verbreitete LSD (Low Sexual Desire)-Syndrom zu sein. Diese Zivilisationskrankheit, die sich auch bei unter Dauerstreß stehenden Tieren beobachten läßt, besteht darin, daß das sexuelle Verlangen drastisch abnimmt und gleichzeitig Nervosität, Verspannungen und Überreiztheit zusammen mit ständiger Abgeschlagenheit und Müdigkeit auftreten. Da ein normales Funktionieren der Sexualität auch ein eindeutiger Gradmesser der Gesundheit des Organismus ist, kann man davon ausgehen, daß das LSD-Syndrom ein Hilfeschrei des dauerhaft überforderten Körpers ist. Die reinigenden, regenerierenden, entspannenden und nervenstärkenden Wirkungen der Kombination Catuaba-Lapacho steuern hier auf natürliche, gut verträgliche und sogar noch wohlschmeckende Weise gegen.

Bitte beachten: Catuaba-Tee ist ein gutes *Färbemittel*. Wenn es mal einen Fleck auf der Tischdecke oder dem Hemd gibt, sofort auswaschen, sonst geht er kaum wieder raus.

Zwei Anekdötchen zu guter Letzt ...

- In Südamerika wird Catuaba gern Zuchthengsten zur „Stärkung" gegeben.
- In Brasilien heißt es: Zeugt ein Mann bis zum Alter von 60 Jahren ein Kind, war er es. Geschieht dies danach, war es Catuaba.

Kapitel 11

Die Heilkraft wildwachsender Pflanzen

Aus den Dschungeln, den naturbelassenen Landschaften stammen viele der wirksamsten Heilpflanzen. Unter Ethnobotanikern gibt es die Redensart, daß es ziemlich egal sei, welche Pflanze man im Regenwald auf medizinische Wirkungen hin untersuchen würde – jede hätte mindestens eine wertvolle Heilfähigkeit. Woran liegt es, daß Pflanzen aus der unberührten Natur so viel zu bieten haben?

Es gibt meines Erachtens zwei hauptsächliche Gründe ...
1. Sie wachsen in einem auf sie optimal abgestimmten Umfeld auf. In der Natur gedeihen Pflanzen nicht in Monokulturen. Sie siedeln sich mit anderen Pflanzenarten und Tieren zusammen an, die besonders gut zu ihnen passen. Jeder Hobbygärtner weiß, daß nicht jedes Kraut mit jedem anderen auskommt und berücksichtigt diese Tatsachen bei der Gestaltung seines Gartens. Andersherum gibt es bestimmte Pflanzen, die sich gegenseitig gesund erhalten und in ihrem Wachstum wunderbar unterstützen. Auch bestimmte Tiere passen eher mit speziellen Pflanzen in einem Lebensraum zusammen – und mit anderen nicht. Da, wo die Natur schalten und walten kann, wie sie will, sorgt sie schnell dafür, daß eine optimale Mischung entsteht. Nur durch das Eingreifen des Menschen entstehen Einseitigkeiten. Was wissen wir schon über den großen Organismus auf der Oberfläche unseres Planeten?! Wir beginnen ja gerade erst langsam zu begreifen, daß wir viel zu wenig Ahnung von den komplexen Zusammenhängen der Natur haben und im Grunde am besten damit fahren würden, wenn wir der Natur viel mehr Freiraum geben, damit unsere Umwelt weiterhin – oder endlich wieder – sinnvoll funktioniert.

2. Weitab von Industrie und Autostraßen gibt es kaum schädliche Substanzen, die den Stoffwechsel der Pflanzen negativ beeinflussen. So entwickeln sie sich zu voller Kraft. Und dies ist auch unter anderem an ihrer medizinischen Wirkung festzustellen. Viele Pflanzenarten behalten noch über Generationen ihre im natürlichen Umfeld gewachsene Stärke und Heilkraft, bis diese allmählich durch das von Menschenhand betriebene systematische Kreuzen, Anpflanzen in Plantagen, Kultivieren und Reglementieren immer weniger wird.

Glaubt man den alten europäischen Schriften über einheimische Heilkräuter, entsteht schnell der Eindruck, daß vor Jahrhunderten wohl auch in unseren Breiten die Heilkraft der Pflanzen stärker gewesen sein muß. Auch hier gab es dichte Urwälder mit einer ungeheuren Artenvielfalt, obwohl schon früh die hochzivilisierten (?) Seefahrernationen der Römer und Karthager dafür sorgten, daß durch das Schlagen von Nutzholz für den Schiffsbau riesige Flächen einstmals blühender Landschaften versteppten. Die Sahara war vor dreitausend Jahren viel, viel kleiner ...

Immerhin haben verschiedene Gruppen diese Misere erkannt und betreiben, mitunter seit Jahrzehnten, enorme Anstrengungen, den Ackerbau, die Landschaftspflege und -gestaltung wieder mehr nach natürlichen Prinzipien hin auszurichten. Der Trend zu Lebensmitteln aus biologisch-ökologischem Anbau unterstützt diese inzwischen weltweite Bewegung. Jeder, der den Sinn dieser Umorientierung verstanden hat, kann in seinem Garten, im Stadtrat oder in Bürgerinitiativen selbst mithelfen, der Natur Raum zu geben.

Kapitel 12

Neun wertvolle Übungen zur Aktivierung des Immunsystems

So wirksam Heilpflanzen auch sind, wer krank ist, sollte sich darüber im klaren sein, daß eine Änderung seiner Lebensweise, seiner Art zu denken, mit seinen Gefühlen umzugehen zum Harmonischen, Positiven und Natürlichen hin eine wichtige, oft *die* wichtigste, Hilfe bei einer dauerhaften Heilung sein kann. Deswegen habe ich in diesem Kapitel neun wirksame Übungen zusammengestellt, mit denen sich eine Neuorientierung der Lebensweise zu mehr Glück und Gesundheit nachhaltig unterstützen läßt.

Die Aufmerksamkeit immer wieder auf Positives richten (Übung 1)

Es kann einen schon richtig krank machen, wenn man sich der Gewohnheit hingibt, überwiegend das Schlechte, Belastende, Frustrierende im Leben wahrzunehmen. Ein fröhliches, ausgeglichenes Gemüt hingegen unterstützt, wie auch die moderne medizinische Forschung hinlänglich bewiesen hat, Heilungsprozesse, verjüngt und fördert den Erfolg. Beobachten Sie doch einmal, wie sich die Haltung eines Menschen strafft, wie er mehr Ausstrahlung bekommt, wie sich verkrampfte Gesichtszüge lösen, wenn er an etwas Schönes denkt, sich ganz in diese angenehmen Vorstellungen fallen läßt.

Machen Sie jetzt ein solches Experiment. Denken Sie drei Minuten an schöne Dinge. Wie fühlen Sie sich hinterher?!

Diese regenerierende Kraftquelle können Sie sich bewußt erschließen, *denn es ist nur eine Gewohnheit, sich überwiegend das Negative im Leben bewußt zu machen.* Und Gewohnheiten lassen sich Gott sei Dank ändern ...

Sie haben durch das Lesen dieses Textes bereits die ersten Schritte in die richtige Richtung getan. Dorthin, wo Heilung, Vitalität und Erfolg immer mehr in Ihre Lebensstruktur Einzug halten.

Richten Sie sich ein Tagebuch ein und notieren Sie jeden Abend vor dem Schlafengehen mindestens zehn freudvolle, glückliche oder zufriedene Momente, die Sie an diesem Tag erlebt haben. Es muß nichts Großes sein. Einfach gute Erfahrungen. Sie finden nicht so viel? Suchen Sie gründlich, denn Sie suchen nach Ihrer Heilung, Ihrem Glück! Je mehr Sie sich bemühen, daß Glück in ihrem Alltag wahrzunehmen, desto mehr Glück werden Sie anziehen und erfahren. Und glückliche Menschen sind nun mal gesündere Menschen.

Den Inneren Organen zulächeln (Übung 2)

Aus dem China des Altertums stammt die taoistische Übung des *Inneren Lächelns*. Sie ist so wirksam, daß sie in vielen Krankenhäusern Asiens regelmäßig zur unterstützenden Behandlung chronischer Leiden eingesetzt wird. Sie brauchen dazu, falls Sie über keine genaueren anatomischen Kenntnisse verfügen, ein Buch oder eine Schautafel über die Lage und das ungefähre Aussehen folgender Organe: Magen, Milz, Bauchspeicheldrüse, Leber, Gallenblase, Nieren, Herz, Lungen, Dickdarm, Dünndarm, Fortpflanzungsapparat.

Suchen Sie sich ein ruhiges Plätzchen, an dem Sie etwa 20 Minuten ungestört verbringen können und stellen Sie sich einen Wecker, um nicht immerzu nach der Zeit schauen zu müssen.

Schließen Sie Ihre Augen und richten Sie Ihre Aufmerksamkeit auf Ihren Körper. Lauschen Sie auf den Schlag Ihres Herzens, nehmen Sie das Heben und Senken Ihres Brustkorbes bei der Atmung war, spüren Sie die Bereiche Ihrer Haut, die in Kontakt mit der Unterlage sind.

Nun lächeln Sie – es muß nicht nur im Geiste sein! Stellen Sie sich einzeln und nacheinander jedes der oben genannten Organe vor und lächeln Sie ihm freudig zu wie einem

guten Freund, den Sie nach Monaten der Trennung endlich wiedersehen.
Zum Abschluß der Übung spüren Sie noch einige Zeit Ihrem Atemfluß nach. Sie können diese Technik natürlich auch auf ein Organ oder einen Körperbereich konzentrieren.

Sich jeden Tag etwas Gutes tun (Übung 3)

Nein, damit meine ich nicht: Noch mehr essen, Alkohol trinken, fernsehen oder rauchen! Seien Sie kreativ! Erstellen Sie eine Liste von Erfahrungen, die Sie glücklich machen und schenken Sie sich jeden Tag eine davon. Vielleicht ist es ein Wannenbad mit einem besonders guten Badeöl, vielleicht ist es ein besonderer Film oder ein Konzert, das Ihr Herz höher schlagen läßt oder einfach eine Viertelstunde auf einer Parkbank mit romantischem Ausblick, womit Sie sich verwöhnen. Wichtig ist bei dieser Übung, daß die Erfüllung Ihres Wunsches nur von Ihnen abhängt! Sonst gibt es zu viele Ausreden. Allerdings: Wenn Ihr Partner nur allzugern bereit ist, ab und an Ihre Füße oder Hände zu massieren oder mit Ihnen tanzen zu gehen, dann zählt dies natürlich auch.

Sich selbst ein Kompliment machen (Übung 4)

Das Immunsystem ist in seiner Stärke und Belastbarkeit in Bezug auf Umwelteinflüsse abhängig davon, wie sehr ein Mensch sich selbst mag. Je mehr *Selbstliebe*, *Selbstrespekt*, *Selbstbewußtsein* vorhanden ist, desto günstiger sind die Bedingungen für ein gut funktionierendes körpereigenes Abwehrsystem. Ein einfacher Weg kann Ihnen helfen, diese positiven Einflüsse für Ihr Wohlergehen zu nutzen. Machen Sie sich jeden Tag ein Kompliment, besser aber zwei oder drei. Egal wofür. Es muß nichts Großes, enorm Wichtiges sein. Einfach nur etwas, was Sie gut gemacht haben, was liebenswert an Ihnen ist, Respekt oder Anerkennung verdient. Am wirkungsvollsten ist es, wenn Sie diese Übung vor einem Spiegel durchführen, sich selbst dabei in die Augen schauen und sich zulächeln. Keine Angst, Sie sind es nur! Lernen

Sie sich jeden Tag mehr schätzen und lieben, indem Sie das Gute in Ihnen ausdrücklich durch Komplimente anerkennen. Ihr Körper wird es Ihnen schon bald danken und für Ihren Seelenfrieden ist es auch gut. Wenn es Ihnen schwerfällt, sich selbst zu loben und zuzulächeln, trösten Sie sich. Es geht sehr vielen Zeitgenossen ganz ähnlich. Warum gibt es heute wohl so viele akute und chronische Erkrankungen, die auf Schwächen des Immunsystems beruhen?! Üben Sie jeden Tag weiter und gehen Sie durch Ihre Widerstände! Sie tun es für Ihr Glück und Ihre Gesundheit!

P. S.: Erweitern Sie möglichst bald diese Übung und machen Sie jeden Tag drei Menschen in Ihrer Umgebung je ein Kompliment. *Wer andere mehr anerkennt, wird auch selbst mehr anerkannt.*

Die Begegnung mit Gott suchen (Übung 5)

In uralten medizinischen Texten aus China wird betont, daß die größte Heilkraft für die Menschen in der Einstimmung auf das Göttliche liegt. Vielleicht hat es damit zu tun, daß unter der Glaubensgemeinschaft der Mormonen in den USA ein signifikant geringeres Auftreten chronischer Erkrankungen zu beobachten ist.

Sie brauchen allerdings weder Mitglied einer Kirche oder gar einer Sekte zu sein noch an Gott zu glauben, um die heilsame, wohltuende Kraft einer Begegnung mit dem Göttlichen zu erfahren. Probieren Sie einfach die folgende Übung aus; damit werden Sie sich selbst von dem Nutzen meines Rates überzeugen!

Als erstes lernen Sie zu beten. Nein, damit meine ich nicht die üblichen Bitten „nach oben" um materielle Dinge, einen Partner oder baldige Genesung. Ein wirksames Gebet funktioniert anders – es sollte nicht zu sehr auf einen direkten Nutzen ausgerichtet sein.

Je weniger ein Mensch konkret erwartet,
desto mehr kann ihm das Leben schenken!

Nehmen Sie sich jeden Tag einige Minuten Zeit, in denen Sie sich zurückziehen und von niemandem in Anspruch genommen werden. Mehr braucht es wirklich nicht. Schließen Sie die Augen. Dann stellen Sie sich vor, daß irgendwo über Ihnen etwas ist, aus dem alles, was es in unserer Welt gibt, hervorgegangen ist und zu dem alles irgendwann einmal wieder zurückgehen wird. Noch einmal: Sie müssen nicht daran glauben. Führen Sie einfach nur sorgfältig diese Übung regelmäßig über einige Wochen aus! Nun stellen Sie sich weiter vor, sich diesem Wesen, dem Quell allen Lebens und damit auch der Gesundheit, anzunähern. Achten Sie auf Ihre Empfindungen bei dieser Annäherung, aber erwarten Sie nichts Bestimmtes. Lassen Sie zu, was geschieht. Halten Sie Ihre Aufmerksamkeit weiterhin dort bis zum Ende der Übung. Um nicht immer wieder auf die Uhr schauen zu müssen, können Sie sich einen Wecker stellen. Ich persönlich führe diese Übung gerne vor dem Einschlafen aus. Da bin ich ungestört und nehme die wohltuende Erfahrung der Begegnung mit dem *Höchsten Wesen* mit in meine Träume.

Wollen Sie noch mehr tun, so suchen Sie ab und an alte Kirchen oder sogenannte Kraftorte oder Wallfahrtsstätten auf. Spüren Sie die besondere Atmosphäre an diesen Stätten und versuchen Sie, sich ihr hinzugeben. Es macht nichts, wenn Sie sich dabei zuerst etwas seltsam und fehl am Platze vorkommen. Schon bald werden Sie diese im wahrsten Sinne des Wortes erhebenden Momente in Ihrem Leben nicht mehr missen wollen.

Übrigens: Wenn bedeutende Persönlichkeiten wie Mahatma Gandhi, Albert Einstein, Johann Wolfgang von Goethe und John F. Kennedy dem Gebet und der regelmäßigen Annäherung an eine spirituelle Kraft so viel Bedeutung zuerkannten – warum sollten diese einfachen, kostenlosen und für jeden zugänglichen Hilfen nicht auch von Ihnen erfolgreich genutzt werden?!

Sich selbst verzeihen (Übung 6)

Verzeihen, tief und aufrichtig vergeben, befreit die Seele von ständigem Konfliktstoff, von Anspannungen, die in der Gegenwart dringend benötigte Kräfte des Körpers und des Geistes binden. Rachegedanken und nachtragendes Verhalten schaden dem Streben nach Glück und Gesundheit. Wer einmal erkannt hat, daß die Vergangenheit nicht mehr änderbar, eben *vergangen* ist, kann aus seinen Erfahrungen lernen und die Herausforderungen der Gegenwart besser und leichter bewältigen. Erstellen Sie eine Liste von Verhaltensweisen, von Handlungen, Gedanken, Worten, die Sie sich bisher nicht verzeihen konnten, für die Sie sich schämen. Werden Sie sich darüber klar, ob Sie in Zukunft anders, konstruktiver damit umgehen wollen. Schreiben Sie zu jedem Punkt erste Schritte auf, wie Sie dies lernen und Ihre positive Absicht im Bewußtsein halten können. Stellen Sie einen Zeitplan für die Umorientierung auf und kontrollieren Sie täglich seine Einhaltung.

Nehmen Sie sich danach einige Minuten Zeit für eine kleine, aber sehr wirksame mentale Übung:

- Vergegenwärtigen Sie sich, wie Sie bisher immer mit sich selbst im Streit lagen, weil Sie sich anders verhalten haben, als es ihren selbst gesetzten ethischen Maßstäben entsprach und wie Sie dadurch die guten Beziehungen zu Mitmenschen, die Ihnen vielleicht sehr am Herzen liegen, unnötigerweise belasteten. Entscheiden Sie sich dafür, von jetzt an ihre Zukunft bewußt anders zu gestalten! Sie sind ein lernfähiges Wesen und können werden, wie Sie sein wollen: Geliebt, geschätzt und geachtet von ihren Mitmenschen und sich selbst!
- Versetzen Sie sich nun gedanklich in die Zukunft in Situationen, in denen Sie sich auf die neue, konstruktivere Weise für die Sie sich entschieden haben, verhalten. Bleiben Sie einige Zeit in dem angenehmen Gefühl, das entsteht, wenn Sie die positiven Rückmeldungen ihrer Umwelt für Ihre Persönlichkeitsreifung bekommen. Gratulieren Sie sich zu der Entscheidung, die Sie getroffen und zu der Sie gestanden haben, bis die Veränderung ganz voll-

zogen war. Sie können jetzt voller Selbstrespekt in den Spiegel schauen und zu sich sagen: „Ich habe Fehler gemacht. Das darf ich, weil ich ein Mensch bin. Ich habe mein Bestes getan, aus ihnen zu lernen und habe mich verändert, bin reifer geworden. Das, was ich tun konnte, um zu wachsen, habe ich getan!" Bleiben Sie einen Moment bei den Gefühlen, die jetzt in Ihnen aufsteigen.

- Nehmen Sie ein paar tiefe Atemzüge, dehnen und rekeln Sie Ihren Körper. Öffnen Sie die Augen in dem Bewußtsein, den ersten Schritt in die richtige Richtung getan zu haben. Nun stehen Sie auf und tun Sie, was nötig ist, um Ihren Entschluß vollständig in die Tat umzusetzen.

Es kann übrigens hilfreich sein, den Ablauf der Übung auf Kassette zu sprechen und sich davon anleiten zu lassen. So haben Sie den Kopf für das Erleben frei.

Einem anderen verzeihen (Übung 7)

So wichtig wie es ist, uns selbst zu verzeihen, so notwendig ist es auch – im Sinne des Wortes: die Not zu wenden – anderen zu verzeihen, die uns verletzt haben. Zum einen leiden Sie selbst am meisten darunter, wenn Sie grollen und Rachegedanken gegenüber bestimmten Mitmenschen hegen. Denn dadurch wird viel von Ihrer seelischen Energie gebunden, die nicht nur für geistige Aktivitäten, sondern auch zur gesunden Steuerung Ihrer Körperfunktionen dringend in vollem Umfang benötigt wird. Zum anderen sind Sie durch den ständigen bewußten oder unbewußten Hader in einem anhaltenden verspannten Zustand und wenden Ihre Aufmerksamkeit zu großen Teilen leidvollen Situationen in Ihrer Vergangenheit zu, die sowieso nicht mehr zu ändern sind. Damit können Sie die vielfältigen Möglichkeiten, glücklich und erfolgreich in der Gegenwart zu sein, nur teilweise nutzen. Sie stellen sich selber immerzu ein Bein.

Hören Sie auf damit! Jetzt gleich! Es ist schlimm genug, was Sie erlebt haben, Sie brauchen es nicht noch schlimmer dadurch zu machen, daß Sie Ihr Bestes tun, um seelisch bis zum Sankt-Nimmerleinstag weiter an dem damit verbundenen Ärger und den Verletzungen zu kleben. Entscheiden Sie sich für Ihr Wohl, für Ihr Glück und *schließen Sie die Akte endlich ab!* Vielleicht verstehen Sie den anderen noch immer nicht – versuchen Sie es! Vielleicht ist Ihnen nicht klar, wie Sie zu der Eskalation der Situation beigetragen haben – finden Sie es heraus! Vielleicht ist noch zu viel Wut in Ihnen, um vergeben zu können – dann lesen Sie Übung Nummer 8 und entlasten Sie sich systematisch von Ihren Aggressionen. Machen Sie sich die positiven Auswirkungen der leidvollen Situation klar. Was, da gibt es keine? Das kann nicht sein. Bei Tausenden von Lebensberatungen in meiner Praxis habe ich immer wieder feststellen können, daß vom Schicksal schwer geprüfte Menschen durch die schwierigen Situationen, die sie erlebt haben, viel an menschlicher Reife, an Belastbarkeit, an Wissen – oft auch an Mitgefühl und Toleranz – gewonnen haben.

Mit einem Satz: Menschen, die viel durchgemacht haben, kennen sich oft im Leben besser aus!

Ihnen kann man so leicht kein „X" mehr für ein „U" vormachen. Sehen Sie Ihre Vergangenheit unter dieser Perspektive an. Sie brauchen den anderen, der Ihnen so weh getan hat, nicht zu lieben. Aber entwickeln Sie mit Hilfe der Tips in dieser Übung so viel Klarheit in Bezug auf diese Erfahrung, daß Sie ihm aufrichtig verzeihen können. In der Gewißheit, daß Sie *sich selbst* damit den größten Liebesdienst erweisen.

Ein Rat noch zum Abschluß: Es kann sein, daß es Ihnen schwerfällt zu vergeben, weil Sie bewußt oder unbewußt Angst davor haben, so etwas Schreckliches könnte Ihnen wieder passieren. *Gerade deswegen* lernen Sie, wie in dieser Übung geschildert, aus der Erfahrung. Mit dem neuen erweiterten Bewußtsein gewappnet, werden Sie, falls es ein nächstes Mal geben sollte, rechtzeitig ausweichen oder viel besser auf sich aufpassen können.

Entlasten Sie sich regelmäßig von Aggressionen, ohne sich selbst oder andere zu schädigen (Übung 8)

Jeden Tag erleben wir so viel: Schönes und Belastendes, harmonische Stimmungen und frustrierende. Häufig ist es nicht möglich, seinen Ärger sogleich angemessen auszudrücken. Deswegen kann er sich aufstauen und unser Seelenleben langsam zu vergiften beginnen. Plötzlich merken wir, daß jemand, der eigentlich gar nichts dafür kann, von uns wütend angefahren wird. Aufgestaute Aggressionen können bei entsprechendem Umfang sogar eine verstärkte Unfallneigung begünstigen. Damit gefährden wir nicht nur unsere eigene Gesundheit, sondern auch andere, die nun wirklich nichts für den alten Frust in uns können.

Eine einfache Übung kann Ihnen helfen, sich regelmäßig auf eine unschädliche Weise, die Ihrem Körper sogar gut bekommt, von den tagtäglich angesammelten inneren Spannungen zu befreien. Dazu brauchen Sie allerdings zwei Hilfsmittel: Einen Sandsack und ein paar Boxhandschuhe. Diese Utensilien bekommen Sie günstig in jedem Sportfachgeschäft. Suchen Sie in Ihrer Wohnung einen Platz, wo der Sandsack frei schwingen kann, und dann kann es losgehen ...

Legen Sie jeden Abend, gleich, wenn Sie nach Hause kommen, 10 bis 15 Minuten Übungszeit fest. Die ersten vier bis fünf Minuten schlagen Sie mit Ihren durch die Boxhandschuhe geschützten Händen nur locker auf das Trainingsgerät und tänzeln Sie herum, um warm zu werden. So schützen Sie Ihren Körper vor Verletzungen aufgrund zu starker plötzlicher Belastung. Sehnen und Muskeln sind sehr belastbar – im aufgewärmten Zustand. Dann dürfen Sie „richtig draufhauen". Übernehmen Sie sich aber nicht. Lassen Sie es langsam angehen. Stellen Sie sich dabei vor, was Sie wollen. Niemand kommt dabei zu Schaden. Im Gegenteil: Sie werden schon bald feststellen, daß Ihnen der entspannte Umgang mit vielen schwierigen Zeitgenossen angenehm leichter fällt. So werden Sie immer mehr Gegner zu Freunden machen. Außerdem ist es erwiesen, daß Menschen, die regelmäßig auf sinnvolle Weise ihren aufgestauten Frust abbauen, in Krisenzeiten körperlich und geistig wesentlich belastbarer sind und ebenso mit Streß erfolgreicher umzugehen vermögen. Daß dabei die Selbstheilungskräfte des Körpers effizienter funktionieren, die Atmung vertieft wird und dem Organismus außerdem viel mehr vitale Energie zur Verfügung steht, ist ein weiterer wichtiger Effekt dieser Übung, gerade im Zusammenhang mit den in diesem Buch behandelten Themen.

Entdecken Sie die Vielfalt Ihrer Gefühlswelt (Übung 9)

Wahrscheinlich kennen Sie es aus ihrer Teenagerzeit: Musik hören und dabei in die verschiedensten Gefühle eintauchen, einfach entspannt vor sich hin träumen. Die Natur hat es sehr weise eingerichtet, daß Menschen gerade in der Pubertät zutiefst empfänglich für Musik sind und so auf unterhaltsame, angenehme Art die große Bandbreite ihrer Emotionen kennenlernen und ausleben können. Leider übernehmen die meisten diese einfache und sehr wirksame *Psychohygiene* nicht in ihr Erwachsenendasein. Schade, denn dadurch geht Ihnen ein großes Stück Lebensqualität verloren! Außerdem sorgt die Beschäftigung mit unseren Gefühlen für ein erweitertes *Gefühlsbewußtsein*, daß den harmonischen Kontakt zu den Mitmenschen wesentlich verbessern und vertiefen kann. Die regelmäßige Hingabe an den Fluß der Gefühle entlastet Geist und Körper von inneren Spannungen, setzt zusätzliche Energien frei, ja fördert sogar die Kreativität und ein gesundes Selbstbewußtsein. Alles Qualitäten, die die Heilung chronischer Leiden günstig beeinflussen und vielerorts seit Jahren von ganzheitlich arbeitenden Medizinern erfolgreich als unterstützende Therapie eingesetzt werden.

Was können Sie nun tun, um Ihre Gefühlswelt besser kennenzulernen und Ihre Emotionen auf gesunde Art fließen zu lassen? Ganz einfach: Wählen Sie einige Musiktitel für eine Woche im voraus aus. Lassen Sie sich ruhig auch mal in Fachgeschäften beraten und probieren Sie Neues aus. Achten Sie beim Hören der Musik auf die Veränderungen in Ihrem Empfinden. Welche Bilder, welche Gefühle, welche Assoziationen tauchen bei welchen Titeln auf? Wie geht es Ihrem Körper? Wie empfinden Sie ihn jeweils? Führen Sie ein kleines Notizbuch mit sich und notieren Sie mehrmals täglich Ihre inneren Erfahrungen mit der Musik. Machen Sie diese Übung auf keinen Fall kompliziert und aufwendig! Sorgen Sie einfach dafür, zu jeder möglichen Gelegenheit von Musik umgeben zu sein. Hören Sie immer wieder bewußt hin, das ist wichtig, und spüren Sie dann kurz in sich hinein. Notieren Sie stichwortartig, was Sie in sich wahrnehmen.

Noch eine kleine Anekdote: Sicherlich kennen Sie die Musikberieselung in Kaufhäusern, mit denen die „werte Kundschaft" in ihrer Kaufbereitschaft umsatzsteigernd beeinflußt wird, und daß Kühe mehr Milch geben und weniger Streß bei harmonischer, entspannender Musik erleben, haben Sie bestimmt auch schon gehört. Das Gehör ist unser am stärksten mit der Gefühlswelt verbundene Sinn. Forscher wie der bekannte Musikwissenschaftler *Joachim-Ernst Berendt* haben dies in ihren Arbeiten ausführlich und schlüssig dargelegt. Offensichtlich beeinflußt Musik also den Zustand der menschlichen Psyche. Nutzen Sie doch diese Erkenntnisse für sich und steigern Sie so auf angenehme Weise Ihr Wohlbefinden und Ihren Gesundheitszustand. In China und Indien gibt es seit Jahrhunderten direkt zu therapeutischen Zwecken komponierte Musik*, die sogar in vielen Krankenhäusern erfolgreich angewendet wird, warum sollten wir hier im Westen nicht das erprobte Wissen um das Seelenleben für uns einsetzen?

---

*Im Anhang sind mehrere Musikproduktionen aufgeführt, die speziell zur unterstützenden Behandlung bestimmter Leiden in Asien komponiert und eingespielt worden sind.

Nachwort

Es könnte beim Lesen des vorliegenden Buches der Eindruck entstehen, Lapacho sei eine Art Wundermittel, das unfehlbare Heilmittel – und so ist es sicher nicht. Denn unfehlbare Heilmittel gibt es nicht und wird es wohl auch niemals geben. Ich möchte auch keinesfalls den Eindruck erwecken, nun könne sich jeder auf eigene Faust ohne Beratung durch einen Mediziner von schwersten Erkrankungen allein kurieren.

Lapacho eignet sich wunderbar als Haustee zur Vorbeugung gegenüber vielen Leiden und kann eine Menge zur Heilung diverser gesundheitlicher Probleme beitragen. Gleichwohl sollte bei allem, was auch nur eine ernste Erkrankung sein könnte, ein geeigneter Mediziner konsultiert werden. Denn Heilen will gelernt sein, und zu leicht übersieht ein Laie etwas Wichtiges, schätzt ein Symptom falsch ein, tut zu viel oder zu wenig des Guten.

Ich für meinen Teil habe mir Ärzte, Heilpraktiker und Psychotherapeuten gesucht, die ich auch gerne an Teilnehmer meiner Seminare oder Klienten meiner Lebensberatungspraxis empfehle, die aufgeschlossen sind für eigenverantwortliches Handeln ihrer Patienten und deren Initiativen zur Selbstbehandlung in vertretbarer Art und angemessenem Umfang unterstützen. Jeder naturheilkundlich gebildete Mediziner wird die vielfältigen Heilkräfte von Lapacho schnell schätzen lernen – falls er sie noch nicht kennen sollte, und Lapacho gerne, wenn es grundsätzlich für den Fall paßt, mit in die Behandlung einbeziehen.

Es liegt an uns, hoffentlich mündigen Bürgern, die Mediziner zu unterstützen, die uns und unser Streben nach Gesundheit ernst nehmen. Wer zu einem Arzt geht, weil er immer schon da war oder weil er ohne Probleme krank schreibt, sollte mal in Ruhe aachdenken, ob er da wirklich das Richtige für sich tut. Wir haben die Wahl – in jeder Hinsicht. Und je mehr Menschen klug damit umgehen, desto schneller wird unser Gesundheitssystem auf ganzheitliche Medizin umgestellt, desto bessere Chancen gibt es auch für den Einzelnen zur Heilung chronischer Leiden.

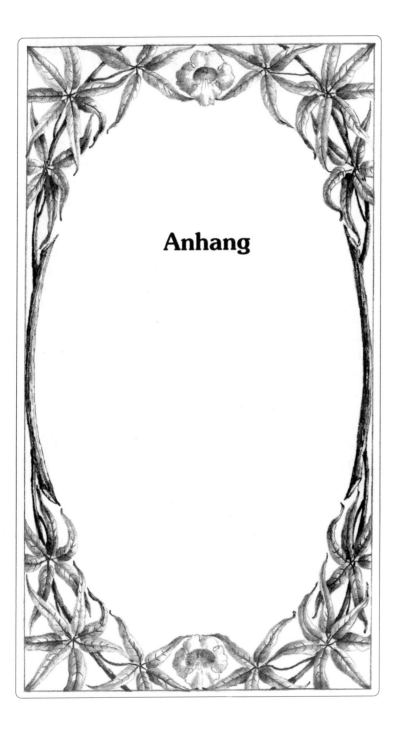

Anhang

Das Wichtigste auf einen Blick

Zubereitung (Grundrezept)
Lapacho Tee gibt es natürlich in unterschiedlichen Qualitäten. Deshalb kann es vorkommen, daß der Tee zu bitter schmeckt, wenn er nach dem Grundrezept zubereitet wird. In diesem Fall kann die für den Aufguß verwendete Teemenge bedenkenlos reduziert werden, bis das Getränk ein leckeres Vanillearoma entfaltet und leicht rauchig schmeckt. Die für das Kochen und Ziehenlassen genannten Zeiten sind nur als Richtwerte zu verstehen. Etwas länger ist dementsprechend nicht falsch. Für 1 Liter gebe man 1 bis 2 Eßlöffel Lapacho-Tee in sprudelnd kochendes Wasser und lasse 5 Minuten kochen. Danach noch 15 – 20 Minuten abgedeckt ohne Wärmezufuhr ziehen lassen. Den fertigen Tee durch ein Teesieb oder besser ein Leinentuch in das Vorratsgefäß gießen.

Anwendung als Haustee
Verschiedene Lapacho-Zubereitungen nach Appetit regelmäßig genießen. Der Schwerpunkt sollte auf dem Grundrezept liegen.

Kurmäßige Anwendung
Täglich sechs bis zwölf Tassen zu je etwa 0,15 Litern, am besten auf nüchternen Magen genießen. Die Trinktemperatur sollte die Körpertemperatur nicht wesentlich übersteigen. Auch gekühlt gut anwendbar.

Nebenwirkungen
Bei den auf dem internationalen Markt gebräuchlichen Arten des Lapacho ist bekannt, daß **sehr hohe** Dosen des Tees oder seiner Extrakte manchmal zu leichtem

Juckreiz der Haut und etwas Ausschlag führen können. Beide Erscheinungen sind nach allen mir vorliegenden Informationen als ungefährlich zu bewerten und verschwinden umgehend, wenn die täglich verabreichte Dosis herabgesetzt wird. Irgendwelche ungünstigen Folgen davon sind nicht bekannt.

Bei einigen wenigen Arten des Lapachobaumes enthält die innere Rinde einen hohen Anteil Gerbstoffe. Diese können bei häufigem Kontakt die Schleimhäute des Magens, des Mund- und Rachenraumes und der Speiseröhre reizen. **Allerdings *nur*, wenn der Tee sehr heiß angewendet wird.** Bereits bei Körpertemperatur gibt es keinerlei Probleme, gekühlt sowieso nicht. Es ist zwar wenig von diesen Arten des Lapacho-Tee auf dem Markt, aber trotzdem sicherheitshalber die Empfehlungen zur Trinktemperatur beachten – siehe Absatz: kurmäßige Anwendung – oder etwas Milch/Sahne zugeben.

Gegenanzeigen

Bei den auf dem internationalen Markt gebräuchlichen Arten des Lapacho sind meinen Recherchen nach keine bekannt.

Wechselwirkungen mit Medikamenten oder Pflanzenpräparaten

Es waren trotz sorgfältiger Recherchen keine Berichte über negative Wechselwirkungen von Lapacho mit Arzneien zu finden. Im Gegenteil: Lapacho läßt sich besonders gut mit anderen pflanzlichen Heilmitteln kombinieren, weil er direkt und indirekt über den Stoffwechsel die gesundheitsfördernden Wirkungen der begleitenden Präparate zu steigern vermag.

Was Lapacho kann:
- Gifte, Schlacken, Schwermetalle etc. ausleiten. Amalgamausleitung während und nach einer Gebißsanierung.
- Die Funktionen innerer Organe wie Leber, Nieren, Milz und die Verdauung normalisieren und kräftigen.
- Einige krankmachende Pilzarten direkt abtöten, die anderen durch die Anregung des körpereigenen Immunsystems indirekt vernichten.
- Viren, Bakterien und Parasiten direkt abtöten und zusätzlich den Körper durch die umfassende Anregung des körpereigenen Abwehrsystems in die Lage versetzen, sich selbst gegen die Infektionen und Befall zur Wehr zu setzen sowie sich gegen erneute Erkrankungen dieser Art zu schützen.
- Den Organismus umfassend kräftigen.
- Auf Stoffwechseldisharmonien (zum Beispiel: Leberfunktionsstörung durch vorhergehende Chemotherapie oder längeren Gebrauch von Psychopharmaka) basierende Depressionen heilen.
- Die Durchblutung verbessern.
- Tumore aller Art im Wachstum hemmen und auflösen.
- Einen heilenden Einfluß auf Leukämie ausüben.
- Blutarmut beheben.
- Das körpereigene Immunsystem aufbauen.
- Ablagerungen in den Blutgefäßen beseitigen.
- Zu trägen Stoffwechsel anregen.
- Den Zuckerstoffwechsel normalisieren.
- Einen heilenden Einfluß auf Diabetes und aus dieser Erkrankung stammende Spätschäden ausüben beziehungsweise letzteren vorbeugen.
- Chronische Krankheiten wie Multiple Sklerose, Parkinson, Arthritis und Rheuma in ihrem Verlauf günstig beeinflussen.
- Dem Nervensystem eine größere Belastbarkeit verleihen.
- Die Sexualfunktionen kräftigen und normalisieren.

- Schmerzen lindern.
- Migräne und andere chronische Schmerzzustände günstig beeinflussen.
- Hautausschläge, Wunden und Eiterungen heilen.
- Entzündungen aller Art heilen helfen.
- Harntreibend wirken.
- Die Psyche beruhigen.
- Stauungen aller Art im Körper lösen.
- Herz und Kreislauf kräftigen.
- Gesunden Schlaf fördern.
- Ängste, die aus Stoffwechselproblemen erwachsen, besänftigen.
- Die natürliche Funktion der Schweißdrüsen ankurbeln.
- Einen beruhigenden Einfluß auf das Nervensystem ausüben.

Beim Einkauf von Lapacho sollten folgende Dinge beachtet werden ...
- Die geschnittene Rinde sollte rot-braun aussehen.
- Als Verpackungsmaterial sind Pappe und Papier am Besten geeignet, längere Aufbewahrung in bestimmten Arten von Plastik bei höherer Umgebungstemperatur kann die heilsamen Wirkungen des Lapacho-Tees vermindern.
- Der Händler sollte in der Lage sein, die genaue Art der Lapachopflanze anzugeben, aus deren Rinde der von ihm verkaufte Tee hergestellt wird.
- Bevorzugen Sie eher die im Preis höher angesiedelten Lapachosorten. Hier ist die Chance tatsächlich größer, auch hochwertige Ware zu bekommen.
- Im Zweifelsfall, wenn gute therapeutische Wirkung für Sie wesentlich ist, halten Sie sich an Ware von Markenfabrikanten, die schon länger mit Lapacho zu tun haben und auch genaue Auskünfte darüber geben können.

Was ist drin – im Lapacho Tee?

Die folgende chemische Analyse bezieht sich darauf, wieviel Bruchteile eines Milligramms einer für die Ernährung wichtigen Substanz pro Milligramm Lapachorindenpulver enthalten sind ...

Spuren von	Arsen	(mg/mg)
0.083	Calcium	(mg/mg)
0.0326	Kalorien Brennwert	(Cal/mg)
0.00261	Kohlenhydrate	(mg/mg)
0.816	Chrom	(mg/mg)
0.000009	Kobalt	(mg/mg)
0.000151	unverdaubare Ballaststoffe	(mg/mg)
0.152	verdaubare Pflanzenfasern	(mg/mg)
0.494	Fett	(mg/mg)
0.005	Eisen	(mg/mg)
Spuren von	Blei	(mg/mg)
0.00081	Mangan	(mg/mg)
0.000027	Quecksilber	(mg/mg)
0.0000057	Phosphor	(mg/mg)
0.00012	Pottasche	(mg/mg)
0.00185	Eiweiße	(mg/mg)
0.096	Riboflavin	(mg/mg)
Spuren von	Selen	(mg/mg)
0.000002	Silizium	(mg/mg)
0.000084	Sodium	(mg/mg)
Spuren von	Thiamin	(mg/mg)
Spuren von	Zinn	(mg/mg)
0.0000037	Vitamin A	(IU/mg)
0.00708	Vitamin C	(mg/mg)
0.000181	Zink	(mg/mg)

Und hier die leicht verdauliche Zusammenfassung:
Lapacho enthält eine Reihe Substanzen, die Krankheitserreger und Parasiten abtöten und Krebs zu heilen vermögen. Außerdem sind sehr viel Eisen und Calcium enthalte sowie vergleichsweise mittlere Mengen an Selen. Der Gehalt an Magnesium, Mangan, Vitamin C und Zink ist gering. Weiterhin gibt es Spuren von Barium, Gold, Kalium, Kupfer, Molybdän, Natrium, Nickel, Phosphor,

Silber, Strontium sowie Vitamin A und B-Komplex. Wer sich wundert, daß in dieser Zusammenfassung teilweise mehr Inhaltsstoffe aufgeführt sind als oben: Das rührt daher, daß ich diverse weitere Analysen ausgewertet habe, die zum Teil in Bezug auf die Suche nach unterschiedlichen Stoffen hin aufgebaut worden sind.

Die chemische Zusammensetzung von Lapacho-Rindenpulver in Bezug auf organische Verbindungen

Verschiedene Cumarine und Saponine;
das Flavonoid 4´, 7-Dihydroxyflavon-7-O-rutinosid.
Weiterhin ...
- 0,003% 2-Acetalgaphtol (2,3-b)furan-4,9-dion, Benzo(b)furan-6-aldehyd (= 6-Formylbenzo(b)furan)
- 0,007% (-)-6.8-Dihydroxy-3-methyl-3,4-dihydroisocumarin(=(-)-6-Hydroxymellcin)
- 0,004% (-)-2,3-Dihydro-2(1´methylethenyl)naphto(2,3-b)furan-4,9-dion (=(-)-Dehydro-iso-a-lapachon)
- 0,03% 3,4-Dimethoxybenzaldehyd(0 Veratrumaldehyd)
- 0,13 % 3,4-Dimethoxybenzoesäure (Veratrumsäure)
- 0,003 % 2,2-Dimethylnaphto(2,3-b)pyran-5,10-dion (=Dehydro-a-lapachon)
- <0,001 % 8-Hydroxy-2-acetylnaphtho(2,3-b)furan-4,9-dion
- <0,001 % 5-Hydroxy-2-acetylnaphtho(2,3-b)furan-4,9-dion
- 0,001 % 5-Hydroxy-2,3-dihydro-2-(1´-methylethenyl)naphto (2,3-b)furan-4,9-dion (= 5-Hydroxydehydro-iso-a-lapachon)
- <0,001% 2-Hydroxy-3-(3´,3´-dimethylallyl)naphto-1,4-dion (=Lapachol)
- <0,001% (-)-5-Hydroxy-2-(1´-hydroxyethyl) naphtho(2,3-b)furan-4,9-dion
- <0,001% (+/-)-8-Hydroxy-2-(1´-hydroxyethyl)naphtho(2,3-b) furan-4,9-dion
- 0,006% (+)-2-(1´-Hydroxyethyl) naphtho(2,3-b)furan-4,9-dion

und
- 0,001% 3,4,5-Trimethoxybenzoesäure (= Eudesminsäure)
- 0,02% 4-Hydroxybenzoesäure
- 0,02% 4-Hydroxy-3-methoxybenzoesäure (= Vanillinsäure)

Wissenschaftliche Untersuchungen über die Wirksamkeit von Catuaba (Erythroxylum catuaba)

Manabe H., et.al., Effects of Catuaba extracts on microbial and HIV infection. In Vivo, 6 : 2, 1992 March-April
Graf E., et.al., [Alkaloids from Erythroxylum vacciniifolium MARTIUS, II: The structures of catuabine A, B, and C] Arch Pharm (Weinheim), 311 : 2, 1978 Februar
Agar JT, et.al., Alkaloids of the genus Erythroxylum. Part 1. E. monogynum Roxb. roots
Journal of the Chemical Society [Perkin 1], 14, 1976, 1550-8
Graf E., et.al., [Alkaloids from Erythroxylum vacciniifolium Martius, I: Isolation of catuabine A, B, and C]. Arch Pharm (Weinheim), 310 : 12, 1977 Dec, 1005-10

Eine Studie soll an dieser Stelle ausführlicher beschrieben werden, weil sie weitere wichtige Heilwirkungen von Catuaba aufzeigt ...

Effects of Catuaba extracts on microbial and HIV infection. Manabe H., Sakagami H., Ishizone H., Kusano H., Fujimaki M., Wada C., Komatsu N., Nakashima H., Murakami T., Yamamoto N. In Vivo, 6 : 2, 1992 Mar-Apr, 161-5.

Labormäuse wurden mit einer alkalischen Lösung der Extrakte von Catuaba casca (Erythroxylum catuaba Arr. Cam.) wirksam vor einer ansonsten tödlichen Infektion von *Escherichia coli* und *Staphylococcus aureus* geschützt. Die Extrakte hinderten deutlich erkennbar AIDS-Viren an der Zerstörung von Zellen. Ein großer Teil dieser Wirkung wurde dadurch erreicht, daß die Extrakte die Zellen so stärkten, daß die HIV-Erreger nicht mehr in sie eindringen konnten. Die Ergebnisse dieser klinischen Untersuchung deuten darauf hin, daß Catuaba-Extrakte einen beschützenden Effekt hinsichtlich einer HIV-Infektion haben könnten.

Den mir vorliegende Erfahrungsberichten zufolge, entsteht durch den Genuß einiger Tassen Catuaba-Tee bei vielen Menschen schnell eine gelöste, angenehm belebte Stimmung. Rauschartige Effekte oder gar Suchterscheinungen wurden allerdings nie beobachtet. Catuaba wirkt auf die Psyche meinen Erfahrungen nach wie „ein paar Stunden Hängematte an der Copa Cabana". Probieren Sie es doch mal aus. Catuaba schmeckt angenehm, schadet in keiner Weise und ... tut guuut!

Klinische Studien zu Lapacho

Anesini C., et.al. Screening of plants used in Argentine folk medicine for antimicrobial activity. J Ethnopharmacol, 1993 June

Binutu O.A., et.al. Antimicrobial potentials of some plant species of the Bignoniaceae family. Afr J Med Med Sci, 1994 September

Ueda S., et.al. Production of anti-tumour-promoting furanonaphthoquinones in Tabebuia avellanedae cell cultures. Phytochemistry, 1994 May

Grazziotin J.D., et.al. Phytochemical and analgesic investigation of Tabebuia chrysotricha. J Ethnopharmacol, 1992 Jun

Vidal-Tessier A.M., et.al. [Lipophilic quinones of the trunk wood of Tabebuia serratifolia
(Vahl.) Nichols] Ann Pharm Fr, 1988

Rao M.M., et.al. Plant anticancer agents. XII. Isolation and structure elucidation of new cytotoxic quinones from Tabebuia cassinoides. J Nat Prod, 1982 September-October

Joshi KC, et al. Chemical examination of the roots of Tabe- Planta Med, 1977 May

Santana C.F. de, et.al. [Antitumoral and toxicological properties of extracts of bark and various wood components of Pau d'arco (Tabebuia avellanedae)] Rev Inst Antibiot (Recife), 1968 December

Santana C.F. de, et.al. [Antitumoral and toxicological properties of extracts of bark and various wood components of Pau d'arco (Tabebuia avellanedae)] Rev Inst Antibiot (Recife), 1968 December

Ueda S., et.al. Production of anti-tumour-promoting furanonaphthoquinones in Tabebuia avellanedae cell cultures. Phytochemistry, 1994 May

Santana C.F. de, et.al. [Antitumoral and toxicological properties of extracts of bark and various wood components of Pau d'arco (Tabebuia avellanedae)] Rev Inst Antibiot (Recife), 1968 December

Screening of plants used in Argentine folk medicine for antimicrobial activity. Anesini C., Perez C.: Catedra de Farmacologia, Facultad de Odontologia, Universidad de Buenos Aires, Argentina. Journal Ethnopharmacol, 39 : 2, 1993 Jun, 119-28

Weiterführende Literatur

Pelton, R. and Overholser, L. (1994). Alternatives in Cancer Therapy. Toronto, Ontario: Fireside.
Walters, R. (1993). Options: The Alternative Cancer Therapy Book. Garden City Park, New York: Avery Publishing Group Inc.
Jones, Kenneth (1995). Pau d´Arco – Immune Power from the Rainforest. Healing Arts Press, Rochester, Vermont. Eine ausgezeichnete, auf akademische Art aufbereitete Studie über Lapacho (Pau d´Arco).
Wead, Bill (1985). Second Opinion.

Pressestimmen zu Lapacho

Anonymous (1993). Questionable methods of cancer management: 'nutritional' therapies. Ca: A Cancer Journal for Clinicians, 43(5), 309-319.
Awang, D.V.C. (1988). Commercial Taheebo lacks active ingredient. Canadian Pharmaceuticals Journal, 121(5), 323-326.
Block, J.B. et al. (1974). Early clinical studies with lapachol (NSC-11905). Cancer Chemotherapy Reports [2], 4, 27-28.
Girard, M. et al. (1988). Naphthoquinone constituents of Tabebuia species. Journal of Natural Products, 51, 1023-1024.
Rao, K.V. (1974). Quinone natural products: Streptonigrin (NSC-4 5383) and lapachol (NSC- 11905) structure-activity relationships. Cancer Chemotherapy Reports [2], 4, 11-17.
Oswald, Edward H. (1993/94). LAPACHO. British Journal of Phytotherapy, Vol. 3, N. 3.

Musik, die Heilung und Wohlbefinden unterstützt

Zur allgemeinen Entspannung, Meditation und zum Hören nach einem Lapacho-Ganzkörperbad:*

- Reiki (Merlins Magic)
- Reiki – Light Touch (Merlins Magic)
- Engel – Die Himmlischen Helfer (Merlins Magic)
- Desire for Love (Barttenbach)
- Tanzende Blätter (Tänzers Traum)
- Sternblüten (Tänzers Traum)
- One Hand Clapping (Now)

Rhythmische Musik zur Steigerung der Vitalität und zum Ausdruckstanz:
- Dynamic Dancing (Power of Movement)*
- Roots of Life (Power auf Movement)*
- Rainbow Trance (Rainbow Project-Walter Lübeck & Hanz Marathon)*
- Drums of Passion: The Beat (Babatunde Olatunji)
- Nouveau Flamenco (Otmar Liebert)

Heilmusik aus China:*
- Hoher Blutdruck
- Magengeschwür
- Kopfschmerzen
- Menstruationsbeschwerden
- Verdauungsprobleme
- Wechseljahrsbeschwerden
- Krebs
- Schlaganfall
- Arteriosklerose
- Einschlafen

---

* Alle Titel werden vom Windpferd Verlag vertrieben. Jeder Titel steht für eine CD.

Kommentierte Bibliographie

Allgemeine Lebenshilfen mit praktischen Übungen ...

Das Tao des Geldes. Mit Geld, Beruf und Besitz *ganzheitlich* erfolgreich umgehen. Von Walter Lübeck, Windpferd.

Das Handbuch des Spirituellen NLP. Effektives Kommunikationstraining, mentale Übungen für Selbstbewußtsein und inneren Frieden. Besser und entspannter auf natürliche Weise lernen. Von Walter Lübeck, Windpferd.

Das Handbuch für Lebensberater. Wie man Lebenskrisen in den Griff bekommt, aus Problemen Chancen macht und lernt, sich selbst zu erkennen und seine Talente zu entwickeln. Von Walter Lübeck, Windpferd.

Nie mehr abhängig sein. Wie man sich wirksam und langfristig aus Beziehungssucht befreit. Von Cheryl Hetherington, Windpferd.

Entspannung, Persönlichkeitsentwicklung und Aktivierung der körpereigenen Selbstheilungskräfte ...

Das Reiki-Handbuch. Wie Reiki, die Kunst über Auflegen der Hände Entspannung und Selbstheilung zu bewirken, praktisch angewendet wird. Von Walter Lübeck, Windpferd.

Reiki – Der Weg des Herzens. Die Reiki-Methode als Weg der Persönlichkeitsentwicklung. Von Walter Lübeck, Windpferd.

Die Reiki-Hausapotheke. Speziell zusammengestellte Behandlungsmuster zur Harmonisierung von über 40 verschiedenen Gesundheitsproblemen; mit ausführlichen Ernährungstips. Von Walter Lübeck, Windpferd.

Die Kraft der Visionen. Mit gezielten Vorstellungen die Persönlichkeit entwickeln und die Harmonie des Seelenlebens fördern. Von Werner Koch, Windpferd.

Das Atem-Heilbuch. Wie sich mit systematischen Atemübungen Körper und Geist natürlich kräftigen und regenerieren lassen. Von Werner Koch, Windpferd.

Die Psyche streicheln. Über sanfte Körperübungen harmonisierend auf die Seele einwirken. Franz Benedikter, Windpferd.

Homöopathie ...

Medizin der Zukunft. Eine Einführung in die Heilkunst der Homöopathie von einem der genialsten Homöopathen unserer Zeit. Georgos Vithoulkas. Georg Wenderoth Verlag, Kassel.

Das geistige Prinzip der Homöopathie. Eine tiefe, doch sehr spannend zu lesende Auseinandersetzung mit Philosophie, Praxis und Psychologie der Homöopathie. Rajan Sankaran. Homoeopathic Medical Publishers, Bombay.

Pflanzenheilwissen

Der Garten als Mikrokosmos. Wie ein Garten zu einen Ort der Kraft gemacht werden kann, natürliche Rhythmen, deren Kenntnis die Pflege der Pflanzen erleichtert. Ein sehr ausführliches und exzellent recherchiertes Werk. Wolf-Dieter Storl, Knaur.

Verborgene Kräfte der Pflanzen. Die erfahrene Heilerin erzählt über die richtigen Kombinationen von Pflanzen im Garten, ihre traditionell überlieferten Heilkräfte und über viele interessante Dinge aus der Welt der Heilpflanzen, die sich so selten andernorts aufstöbern lassen. Mellie Uyldert, Irisiana.

Pflanzendevas – Die Göttin und ihre Pflanzenengel. Rituale und geheimes Wissen aus der internationalen traditionellen Pflanzenheilkunde. Wie und wann Pflanzen, die zu Heilzwekken verwendet werden sollen, richtig gesammelt werden, mythologische Informationen über Gottheiten, die Bezüge zur esoterischen Arzneipflanzenkunde haben und vieles mehr ... Wolf-Dieter Storl, AT Verlag.

Sinnvolle Ernährung ...

Gesund mit der Ayurveda Heilküche. Wertvolles Wissen um heilungsfördernde Ernährung aus dem uralten, indischen Ayurvedasystem. Von Amadea Morningstar, Windpferd.

Das Ayurveda-Kochbuch. Leckere, gesunde Rezepte und mehr. Von Harish Johari, Windpferd.

Kochen und leben mit den Fünf Elementen. Die chinesische Gesundheitsküche. Von Martha P. Heinen, Windpferd.

Spirituelles Bewußtsein und ganzheitliche Persönlichkeitsentfaltung ...

LebensEnergieArbeit. Eine umfassende Darstellung des uralten Wissens von nachhaltigem Glück und Erfolg, dem Weg zu menschlicher Reife und tiefer Lebensweisheit; viele praktische Übungen und Beispiele geben wertvolle Anregungen zur persönlichen Anwendung des Erlernten. Von Walter Lübeck, Windpferd.

Die Chakra-Energie-Karten. Ein Orakelsystem, eine Hilfe über sich selbst nachzudenken und klarer zu werden, eine effektive Methode, um den Aufbau des feinstofflichen Körper (Chakren und Aurafelder) kennen zu lernen und dieses Wissen zur Selbstheilung, für Glück und Erfolg anzuwenden. Von Walter Lübeck, Windpferd.

Handbuch für Lebensberater. Wie aus Problemen Lösungen werden. Orientierungen für mehr Glück und Erfolg. Von Walter Lübeck, Windpferd.

Handbuch des spirituellen NLP. Sich selbst und andere besser verstehen. Ganzheitliches Kommunikationstraining. Von Walter Lübeck, Windpferd.

Rezeptübersicht

❦ ❦ ❦

Die folgenden Übersichten können Sie sich kopieren
und als Memo in die Küche hängen.

❦ ❦ ❦

Rezept 1
Minz Lapacho   52

Rezept 2
Zitronen Lapacho   52

Rezept 3
Apfel Lapacho   52

Rezept 4
Der Erkältungskiller,
eine Alternative zum Grog   52

Rezept 5
Lapacho à la Creme,
eine Spezialität für Naschkatzen (Variation I)   53

Rezept 6
Lapacho à la Creme,
eine Spezialität für Naschkatzen (Variation II)   53

Rezept 7
Fruchtiger Lapacho   53

Rezept 8
Lapacho für Kinder   54

Rezept 9
Lapacho brasilianisch   54

Indikationsliste

AIDS	62
Allergien aller Art	63
Alkoholabhängigkeit und Folgen von Alkoholmißbrauch	63
Amalgamausleitung	64
Anämie (Blutarmut)	64
Arteriosklerose (Arterienverkalkung)	65
Arthritis	65
Augen, müde, entzündet oder gereizt	66
Ausfluß, vaginaler	66
Blutungen	67
Blutverbesserung	67
Bronchitis	68
Brüche (z. B. Leistenbruch)	68
Candida-Pilze	68
Chemikalien, Überempfindlichkeit gegen	69
Colitis Ulcerosa	69
Diabetes	69
Eiterungen	70
Ekzeme	70
Entzündungen	70
Erkältungen	70
Fisteln	71
Gastritis	71
Gelenkentzündungen	71
Geschwüre aller Art	72
Gesichtskrebs	72
Hodgkin-Krankheit (Lymphogranulomatose)	72
Krampfadern	72
Krebs, alle Arten	72
Lähmungen der Augenlider	75
Leberleiden verschiedenster Art	75
Leukämie (Blutkrebs)	75
Lupus	75
Milzinfektionen	75

Multiple Sklerose	75
Mund, Erkrankungen aller Art	76
Nase, Erkrankungen aller Art	76
Nierenentzündung	76
Osteomyelitis	76
Parasitenbefall allgemein	76
Parkinson	77
Pilzinfektionen	77
Polypen	78
Prostataentzündung	78
Psoriasis (Schuppenflechte)	79
Raucherhusten	79
Rheumatismus	79
Ringelflechte	79
Schmerzzustände aller Art	80
Tabakentwöhnung	80
Warzen	80
Wunde Hautstellen	80
Wunden	80
Zystitis	80

Der Autor – Walter Lübeck

Walter Lübeck, geboren am 17. Februar 1960 (Wassermann, Aszendent Schütze) lebt mit seiner Frau, der Philosophin und Schamanin Greta *Bahya* Hessel-Lübeck und dem gemeinsamen Sohn Julian im Weserbergland, einer mystischen Landschaft mit vielen uralten Kraftplätzen, die ihn privat und beruflich inspirieren. Seit seiner Jugend interessiert er sich für Esoterik, Parapsychologie und alternative Heilweisen. Er ist in Deutschland, Österreich und der Schweiz als Seminarleiter tätig. Schwerpunkte seiner Arbeit sind: Das Usui-System des Reiki, Rainbow-Reiki, Energie- und Orakelarbeit (I Ging); Aura-/Chakralesen; ganzheitliches Geldtraining, Drei-Strahlen-Meditation und Spirituelles NLP.

In 13 Büchern, die in elf Sprachen übersetzt sind, und diversen Beiträgen für Fachzeitschriften sind viele Ergebnisse seiner Forschungen dokumentiert.

Walter Lübeck orientiert sich an den drei spirituellen Prinzipien: Förderung der Eigenverantwortung, Entwicklung der Liebesfähigkeit und Erweiterung des Bewußtseins. Er sieht es als seine Aufgabe, spirituelles Wissen für die konkrete Verbesserung der Lebensqualität zu vermitteln und dazu beizutragen, Gott, Mensch und Natur mehr in Harmonie miteinander zu bringen.

Adressen und Bezugsquellen

Der Leserservice des Windpferd-Verlages hält eine aktuelle Liste mit Herstellern von Lapacho-Produkten, die in diesem Buch erwähnt sind, sowie weitere wichtige Kontaktadressen im Internet für für Sie bereit: **www. windpferd.com**.

Auch Termine für Kurse und Vorträge des Autoren finden Sie dort. Sollte Ihnen der postalische Weg angenehmer sein, dann schreiben Sie bitte unter Anlage eines frankierten und adressierten Rückumschlages an: Windpferd Verlag, Stichwort: „Lapacho", Postfach, 87648 Aitrang.

Walter Lübeck

Chakra-Energie-Power

Multidimensionale Chakra-Energie-Arbeit mit Affirmationen, Behandlungen, Musik und vielem mehr

Dieses innovative Projekt gibt der Chakra-Energie-Arbeit eine neue, multifunktionale Dimension. Alle Sinne werden angesprochen. Hören, Sehen, Erleben und Behandeln stehen im Vordergrund. Informationen, Bilder, Klänge und Farben werden verknüpft. Basis für dieses Projekt sind die Chakra-Energie-Karten in Verbindung mit Affirmationen, Heilsteinen, und Aromaessenzen. Ein Meilenstein in der Umsetzung spirituellen Wissens in die Computerwelt.

Das braucht Ihr PC-System: PC ab 3.X oder Windows 95, Prozessor 4.86 (Pentium empf.), 66 MHz, 16 MB RAM, SVGA-Karte, CD-ROM-Laufwerk, 40 MB freier Speicher, Soundkarte optional

Set mit Anleitungsbroschüre
(ca. 36 S.) und CD
DM 79,00, SFr 79,00, ÖS 585,00
ISBN 3-89385-157-7

Walter Lübeck

Handbuch für Lebensberater

Ganzheitliche Lebensberatung · Individuelle und neue Wege zu Glück, Gesundheit und Erfolg

„Lebensberater" ist ein neuer, wichtiger Beruf geworden. Lebensberater helfen ihren Mitmenschen, glücklicher und erfolgreicher zu sein, die Gesundheit mit ganzheitlichen Methoden zu stärken und dem Leben in dieser Welt einen tieferen, individuellen Sinn zu geben. Mit Mitteln wie beispielsweise dem Autogenen Training, Astrologie, Tarot, Kinesiologie, NLP oder Reiki geben Lebensberater praktischen Beistand und Hilfe zur Selbsthilfe. Das „Handbuch für Lebensberater" bietet eine solide, ganzheitlich ausgerichtete Grundlage für die erfolgreiche Lebensberatungspraxis und behandelt alle dafür wichtigen Themen in einem methodenübergreifenden Konzept.

192 Seiten, DM 24,80, SFr 23,00
ÖS 181,00   ISBN 3-89385-172-0

Anne L. Biwer

Das große Lenormand-Wahrsagebuch

Geschichte, Deutung und Legetechniken mit den traditionellen Wahrsagekarten der Mademoiselle Lenormand

Wahrsagen ist die Kunst, schon heute zu wissen, was morgen passiert. Mademoiselle Lenormand gilt als eine der bedeutendsten Wahrsagerinnen der Zeitgeschichte. Bereits ihre Lebensgeschichte zeigt die Fülle der Erfahrungen und Herausforderungen. Sie traf und beriet bedeutende Persönlichkeiten ihrer Zeit und wußte bereits Dinge, die damals noch niemand ahnte. Erstmals werden auch die Sternzeichen auf den Karten ausführlich gedeutet. Mit den umfassenden Deutungsanleitungen in diesem Handbuch ist es möglich, mehr als einen Blick in die eigene Zukunft zu wagen.

296 Seiten, DM 29,80, SFr 27,50 ÖS 218,00   ISBN 3-89385-219-0

Walter Lübeck

Das Lapacho-Handbuch

Der Heiltee der südamerikanischen Indianer
Eine Lapacho-Hausapotheke mit vielen Anwendungsmöglichkeiten und großem Rezept-Teil

Lapacho-Tee ist eines der wirksamsten, preisgünstigsten und vielseitigsten Naturheilmittel gegen eine Vielzahl von chronischen Krankheiten, das jemals entdeckt worden ist. Es ist heute wiederentdeckt und im Teehandel, in Naturkostläden und bei Teeversendern erhältlich. Der Autor versteht es auch diesmal wieder, den Lesern sein großes Wissen und seine Erfahrung lebendig und spannend zu vermitteln.
Aber auch die gesundheitsbewußten Genießer kommen auf ihre Kosten: ein umfangreicher Rezeptteil macht Lust auf eine Tasse Tee ... Und schließlich enthält die „Lapacho-Hausapotheke" ein wertvolles Nachschlagewerk für Heilanwendungen von A – Z.
ca. 96 Seiten, ISBN 3-89385-272-7
ca. DM 19,80/SFr 19,00/ÖS 145,00

Waltraud-Maria Hulke

Das große Handbuch der Magnetheilung

Ein umfassendes und praktisches Anleitungsbuch

Hier wird Umfassendes und Engagiertes zur Magnettherapie vorgestellt. Westliche und östliche Ansätze zur Erforschung und Praxis der Magnettherapie ergänzen sich. Dabei stehen immer die praktischen Einsatzmöglichkeiten im Vordergrund: Magnetmassage, Magnetpunktur, die Wirkung von magnetisiertem Wasser, magnetisierte Schönheitsmittel... und nicht zuletzt auch die spirituelle Bedeutung des Magneten.
Die Autorin legt dabei stets großen Wert auf eine schonende und ganzheitliche Behandlung. Wir erfahren Interessantes über die Geschichte der Magnete und nicht zuletzt auch über ihre hohe spirituelle Bedeutung. Westliche und östliche Ansätze in Erforschung und Praxis der Magnettherapie ergänzen sich zum Wohle der zufriedenen Anwender.

160 Seiten, ISBN 3-89385-274-3
DM 24,80/SFr 23,00/ÖS 181,00

Roland Rottenfußer

Lichtvolle Magie mit Kerzen

Rituale, Magie und Symbolik der Kerzen
Ein umfassendes Handbuch über die symbolische Bedeutung der Kerzen in der Mystik bis hin zur praktischen Kerzenmagie mit geheimnisvollen Ritualen und Beschwörungen

Kerzen sind unsere ständigen Begleiter. Ob in der Kirche oder beim romantischen Abendessen, ihr magisches Licht war und ist immer dabei. Kerzen gehören zur lichtvollen Seite der Magie. Mit der Wahl der richtigen Formel, in Verbindung mit einer Astro- oder Planetenkerze, gesalbt, duftend, von besonderer Farbe und nach Vorschrift auf dem Altar arrangiert, werden viele Wünsche Wirklichkeit. Ein bezauberndes, liebevoll illustriertes Buch, das Lust auf Mystik und Magie mit Kerzen macht.
Ein exzellenter Geschenktip – zusammen mit einer Kerze.

ca. 128 Seiten, ISBN 3-89385-292-1
DM 19,80/SFr 19,00/ÖS 181,00

Lise Bourbeau

Dein Körper sagt: «Liebe dich!»

Die metaphysische Bedeutung von über 500 Gesundheitsproblemen mit ihren emotionalen, mentalen und spirituellen Ursachen

Lise Bourbeau ist eine der erfolgreichsten spirituellen Lehrerinnen unserer Zeit. Mit diesem wertvollen Ratgeber zeigt sie anhand von 500 Gesundheitsstörungen, wie Krankheitsursachen frühzeitig erkannt und nachhaltig verändert werden können. Im Zentrum ihres Wirkens steht das Reifen der Seele. Dieses Reifen bedeutet, sich und andere anzunehmen und zu lieben. Dazu gehört auch das ganz bewußte Wahrnehmen subtiler Körperbotschaften. – Sie zeigen an, wo wir an unsere physische, emotionale und mentale Grenze gelangen. Ein sensibles Nachschlagewerk, mit dem wir Gesundheit, Glück, Liebe und Harmonie finden können.

320 Seiten, ISBN 3-89385-277-8
DM 29,80/SFr 27,50/ÖS 218,00

Constanze Heynold

Engel – Liebe ist der Weg

Engel sprechen zu uns, sie haben Botschaften aus der unsichtbaren für die sichtbare Welt, um den Menschen zu helfen und sie zu beschützen

Die Autorin möchte Menschen ermutigen, Engelkräfte in sich und in der Natur wahrzunehmen und ihre Botschaften zu entschlüsseln. – Sie zeigt Wege auf, wie wir mit unseren spirituellen Begleitern in Verbindung treten und ihre heilende und friedvolle Schwingung spüren können. Aufwendig illustriert und liebevoll gestaltet ist dieser Band eine wunderbare Mischung aus einer Fülle von Wissenswertem, vereint mit ganz praktischen Anleitungen für die Begegnung mit Engeln.
Das Buch enthält die Botschaft, daß außer unserer sichtbaren Welt, in der wir leben, noch eine unsichtbare, geistige Welt existiert.

144 Seiten, ISBN 3-89385-283-2,
DM 29,80/SFr 27,50/ÖS 218,00

Wilhelm Gerstung · Jens Mehlhase

Das große Feng-Shui Gesundheitsbuch

Wie Sie sich vor schädlichen Energien schützen und sich einen idealen Schlafplatz schaffen können · So bringen Sie mehr Qi in ihr Haus

Über 5000 Jahre reicht die chinesische Kunst des Feng Shui zurück. Heute weiß man: die unsichtbaren Energien wirken direkt auf unsere Gesundheit und unser Wohlbefinden. Die Autoren zeigen, wie sich die unsichtbaren Energien des Feng Shui mit dem Biotensor (Einhandrute) oder Pendel auch ganz direkt messen und bewerten lassen. Dabei wird offensichtlich, daß sich viele Gesundheitsprobleme erklären und auf gestörte Energien zurückführen lassen. In diesem Buch erfahren Sie, wie man die Belastung des Schlafplatzes ermittelt – und mit welchen Mitteln und Wegen die Qualität des Schlafplatzes unmittelbar verbessert werden kann.

280 Seiten, DM 29,80, SFr 27,50
ÖS 218,00   ISBN 3-89385-218-2

Barbara Simonsohn

Die sagenhafte Heilkraft der Ananas

Ein ganzheitliches Gesundheits-Handbuch · Gesund und fit mit der Königin der Früchte

In dem Buch werden die positiven gesundheitlichen Auswirkungen der Ananas beschrieben. Schon die Indianer haben sie als Heilfrucht geschätzt. Unter Heilsames von A – Z staunen wir über ihr verblüffend breites Anwendungsspektrum. In der modernen Naturmedizin ist heute längst bekannt, daß das Ananas-Enzym Bromelain selbst Krebszellen auflösen und Metastasenbildung verhindern kann. Und da diese phantastische Frucht nicht nur Blut, Zellen und Darm reinigt, sondern auch die Haut klärt und verjüngt, versorgt uns Barbara Simonsohn auch mit Rezepten für Masken und Cremes.

192 Seiten, ISBN 3-89385-268-9
DM 24,80/SFr 23,00/ÖS 181,00